*Les mots
dans
la peinture*

Sur la couverture:
Malevitch: Un anglais à Moscou, détail
Amsterdam, Stedelijk Museum
*

© 1969, by Editions d'Art Albert Skira S.A.

ISBN 2-605-00001-X

MICHEL BUTOR

Les mots dans la peinture

LES SENTIERS DE LA CRÉATION
Editions d'Art Albert Skira S.A.
Genève

FLAMMARION
26, rue Racine, Paris (VIe)

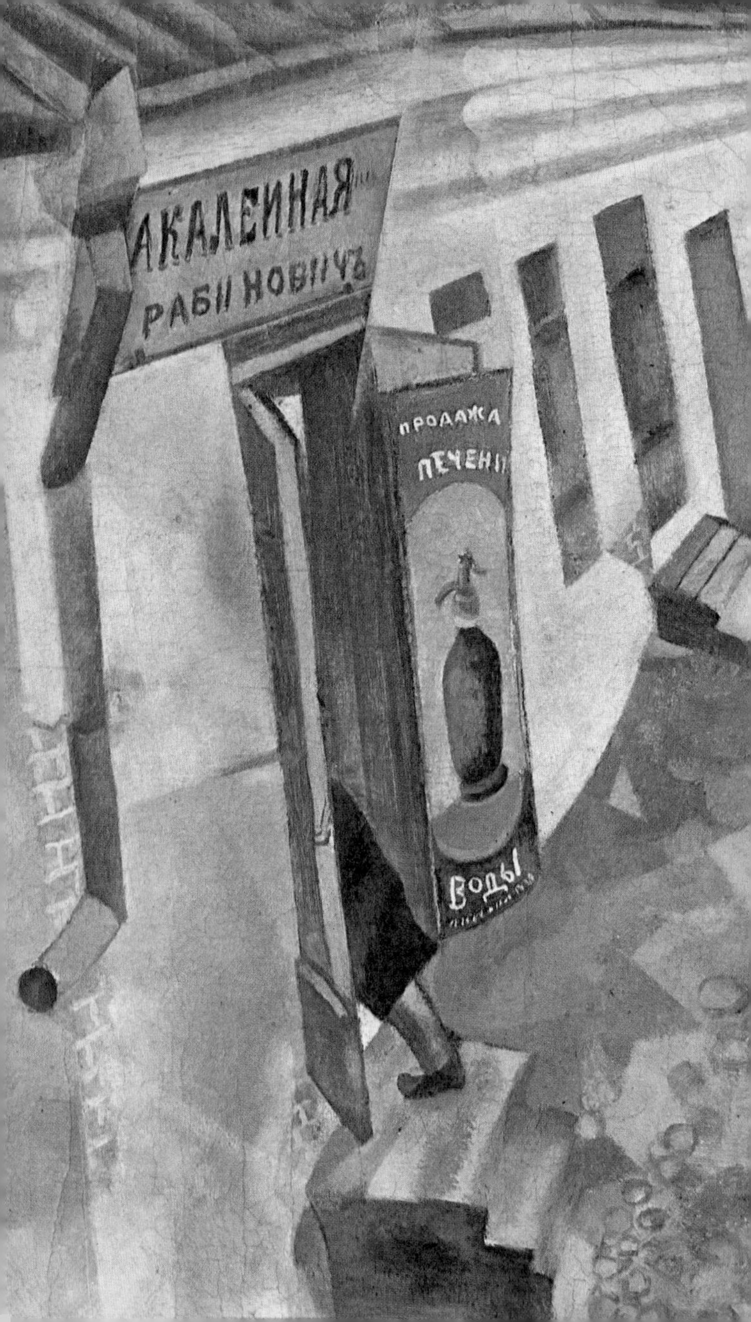

АКАЛЕИНАЯ
РАБИНОВИЧЪ
ПРОДАЖА
ВОДЫ

1 *au milieu des mots*

Il est possible d'étudier les relations entre les mots et les autres sortes d'images dans de nombreuses civilisations; contentons-nous d'un regard très rapide sur la peinture occidentale depuis la fin du Moyen Age.

Des mots dans la peinture occidentale? Dès qu'on a posé la question, on s'aperçoit qu'ils y sont innombrables, mais qu'on ne les a pour ainsi dire pas étudiés. Intéressant aveuglement, car la présence de ces mots ruine en effet le mur fondamental édifié par notre enseignement entre les lettres et les arts.

Toute notre expérience de la peinture comporte en fait une considérable partie verbale. Nous ne voyons jamais les tableaux seuls, notre vision n'est jamais pure vision. Nous entendons parler des œuvres, nous lisons de la critique d'art, notre regard est tout entouré, tout préparé par un halo de commentaires, même pour la production la plus récente. Imaginons un tout jeune peintre ; comme il est rare que nous soyons soudain happés par sa peinture exposée dans quelque vitrine d'une galerie inconnue ! Dès que nous nous mêlons tant soit peu de beaux-arts, on nous a parlé, on nous a montré, nous avons reçu une invitation, vu des affiches, feuilleté, lu parfois un catalogue, nous sommes venus voir quelque chose qui avait déjà dans notre esprit une forte détermination ; bien plus forte encore si nous allons dans un musée. Que de paroles, en effet, y conduisent ou troublent notre visite !

Je me souviens de ma surprise lors de ma première exploration de la National Gallery de Washington, il y a quelques années. Certes, il y avait quelques groupes menés par des commentatrices visibles, en chair et os, mais surtout je voyais un certain nombre d'individus apparemment indépendants parcourir des trajets identiques, pas eux seulement, leurs regards, rester exactement le même temps devant chaque œuvre, les détailler ensemble de la même façon : le visage d'un personnage, le coin en haut à droite, le paysage dans la fenêtre... Tous avaient dans l'oreille un petit microphone semblable à ceux qu'utilisent les sourds, relié par un fil à un tube de la taille d'un ancien stylographe, accroché de même par une agrafe à un revers de blouse ou de veston. Une voix secrète les faisait voir.

2 *un film répond à vos questions*

De tels procédés de pédagogie picturale se répandent de plus en plus, et aucun musée aujourd'hui ne peut se considérer comme moderne, s'il ne propose à ses clients des audio-guides.

Le Louvre va d'ailleurs plus loin. Dans sa transformation du musée classique en établissement de spectacles audio-visuels, au principe de quoi je ne puis qu'applaudir, il nous offre à présent le juke-box de l'histoire de l'art. Si, dans la grande galerie, le sourire de la Joconde est resté pour vous trop énigmatique, venez dans la salle Denon, vous y trouverez, devant une sorte de châtelet pour marionnettes dont la scène est remplacée par un petit écran, de profonds fauteuils munis d'écouteurs, avec la mention «réservés aux spectateurs». Une affiche vous invite à vous asseoir. Mettez une pièce d'un nouveau franc, puis appuyez sur le bouton correspondant à la question que vous désirez voir éclaircie dans la langue que vous entendez le mieux parmi les quatre prévues: allemand, anglais, espagnol et français. Voici maintenant le menu de ce festin intellectuel :

La Joconde : les mystères de Léonard de Vinci et de Mona Lisa.

Le Sacre de Napoléon 1er : comment un régicide devint peintre de la couronne.

Le Régent : comment un joyau royal permit aux armées de la République d'aller à cheval.

Les Noces de Cana : comment Véronèse fit d'une scène évangélique une «actualité mondaine et politique» à sa façon.

Le Palais du Louvre : comment en sept siècles d'avatars une forteresse est devenue le plus vaste et le plus beau palais de Paris.

La Vénus de Milo : comment un arbre en s'enfonçant dans le sol au lieu de pousser vers le ciel fit découvrir un chef-d'œuvre.

Le Radeau de la Méduse : comment, en s'inspirant d'un fait divers, Géricault faillit faire tomber un ministère.

Le Code du Roi Hammourabi : un code civil peut-il être une œuvre d'art ?

La Victoire de Samothrace : comment un puzzle archéologique fait souffler le vent de la mer Egée en haut d'un escalier.

Je conserve en fait, je dois l'avouer, une attitude toute traditionnelle dans mes visites de musées ; je préfère, pour interroger les tableaux, le silence et même la solitude, quitte à étudier le catalogue et des masses parfois énormes de littérature sur la question dès que je suis rentré chez moi, en ma maison ou mon hôtel.

Si je voulais décrire la structure aujourd'hui de toute expérience picturale, il me faudrait naturellement préciser comment l'œuvre d'art «elle-même» est le noyau, parfois d'ailleurs déjà détruit (le panneau des «justes juges» du retable de «l'Agneau mystique» par les frères (?) Van Eyck à Gand a été volé, n'a jamais été retrouvé et est remplacé par une copie), d'un ensemble de reproductions plus ou moins fidèles, autrefois fort clairsemé, souvent très dense maintenant, et comment le halo verbal s'enracine d'abord à l'original, mais peut se multiplier, se diversifier autour des différentes reproductions. Ainsi, dans le catalogue, et surtout dans le livre d'art, l'illustration paraît dans son emboîtage de commentaires.

3   *l'étiquette*

Lors de ma visite au musée, à la galerie, à l'exposition, même si, pour un certain temps, je réussis à faire taire l'encombrante rumeur qui m'assaille, il en demeure, en quelque sorte collée à l'œuvre, une partie essentielle. Il s'agit de ce petit rectangle, cuivre, papier doré ou plexiglas, sur le cadre ou tout proche sur le mur, que je ne puis m'empêcher d'interroger, surtout dès que quelque chose me frappe comme étant nouveau, inconnu, et qui m'apporte au moins deux renseignements fondamentaux : le nom de l'auteur (ou son anonymat localisé, daté : «artiste siennois du quatorzième siècle»), et le titre.

On peut, si l'on n'a de l'œuvre de Rembrandt qu'une représentation confuse, héritée de maigres allusions lors du cours d'un maître ennuyeux et mal informé, de photographies mauvaises distraitement enregistrées çà et là, tout d'un coup rencontrer une de ses pièces essentielles et n'aimer quelque temps que celle-ci ; mais, quelles que pourraient être ses protestations de ferveur, il éprouverait certes une passion bien molle, bien veule, mais il aurait été bien peu touché, qui ne chercherait au plus tôt à en découvrir d'autres capables (qui sait ?) de l'émerveiller plus encore, ou de faire que celle-ci, par résonance et comparaison, elle-même l'émerveille encore plus.

Admirer Rembrandt, ce n'est pas admirer l'un de ses tableaux, mais toute une vie de peinture, et par conséquent il m'importe au plus haut point de savoir si tel «Retour de l'enfant prodigue», tel

«Portrait», lui est attribué ou non, dans quelle phrase à demi énoncée seulement ce mot nouveau vient prendre sa place.

Qui pourrait nous prétendre être tombé profondément amoureux d'une femme au vu d'une de ses photographies, si nous ne constations qu'il met tout en œuvre pour la découvrir sous d'autres aspects ?

Vrai pour l'artiste individuel, ce l'est encore pour n'importe quelle unité de civilisation.

4   *la Joconde*

Nous ne regardons pas de la même façon un visage dont on nous dit qu'il a dix ans ou six cents ans, qu'il était pape, capitaine ou mathématicien ; nous l'interrogeons autrement.

Toute œuvre littéraire peut être considérée comme formée de deux textes associés : le corps (essai, roman, drame, sonnet) et son titre, pôles entre lesquels circule une électricité de sens, l'un bref, l'autre long (il peut arriver que des poètes s'amusent à renverser dans une page la proportion, mais elle sera toujours récupérée pour le volume) ; de même l'œuvre picturale se présente toujours pour nous comme l'association d'une image, sur toile, planche, mur ou papier, et d'un nom, celui-ci fût-il vide, en attente, pure énigme, réduit à un simple point d'interrogation.

Nous avons absolument besoin de titres pour identifier les tableaux dans nos conversations et recherches, mais il n'est nullement indispensable que l'artiste les ait donnés lui-même. Chez les sur-réalistes pour qui le titre avait une importance pri-mordiale, les peintres ont parfois chargé des poètes de leur choix; bipaternité de l'œuvre qui n'en diminue en rien la force ou l'unité. Ce n'est pas Léonard de Vinci qui a donné au portrait de Mona

Léonard de Vinci:
La Joconde - vers 1503-1506.

Magritte: La Joconde - 1960.

Lisa son illustre surnom français de «Joconde», mais ce mot est pour nous tellement lié à cette œuvre que lorsque Magritte le reprend pour l'attribuer à l'une de ses toiles, le fameux sourire se dessine immédiatement à nos yeux sur son rideau de ciel à nuages de beau temps, nous en fait interpréter différemment la découpure, attire notre attention sur la fente du grelot en bas à gauche.

Car ce n'est pas seulement la situation culturelle de l'œuvre, tout le contexte dans lequel elle se présente à nous qui est transformé par le titre : la signification de cette organisation de formes et couleurs change tout au long de la compréhension parfois fort progressive de ces quelques mots, mais cette organisation change aussi.

5   *la chute d'Icare*

Imaginons sur une toile une forme triangulaire peinte la pointe la plus aiguë vers le haut ; si elle a le titre «arbre», je comprends qu'il s'agit d'un arbre, je lui donne un tronc, des branches ; si c'est «montagne», j'en déroulerai les pentes ; si c'est «triangle», ses bords deviendront lignes, ses pointes des angles, sa teinte coloriage qu'il faut oublier pour retrouver la géométrie pure ; si c'est «composition», ce qui requerra le plus mon attention sera la liaison avec le cadre ; si c'est un simple numéro qui la désigne, alors, la plupart du temps, mes associations seront libres, parfois riches, et la forme flottera, se déformera sous mes yeux selon mon humeur, parfois fort pauvres.

Lorsque je sais d'un « Paysage » qu'il est nommé « avec la Chute d'Icare », non seulement tous les détails se chargent d'un symbolisme nouveau passionnant à élucider, mais naturellement ces deux jambes qui s'agitent hors de l'eau, que je n'avais peut-être pas remarquées d'abord, tout impressionné que j'étais par les sillons superbes tracés par la charrue du premier plan ou les délicatesses des lointains, deviennent le foyer de toute l'image. Le fait que les personnages présents regardent tous dans d'autres directions, ce qui entraînait mon regard loin de cette région de l'œuvre, donne maintenant à ce point souligné une véritable valeur de répulsion. Une grande sphère d'indifférence s'est développée dans l'espace autour de cette catastrophe (on retrouvera cela bien plus élaboré encore dans le « Portement de Croix » du Musée de Vienne), et une sorte de chaîne va lier pour nos yeux désormais, à travers voiles et mâts du navire, l'imprudent fils de Dédale à son désir, à son meurtrier, le soleil à l'horizon, vraisemblablement à son lever, car c'est dès qu'il a commencé à montrer un peu plus fortement ses rayons qu'il a dû faire fondre la cire retenant les plumes sur les ailes ingénieuses à une immense distance, dans un tout autre endroit du ciel.

Et puis nous savons qu'il tombe, ce n'est pas seulement l'agitation de quelqu'un qui se noie, tombé de la proche poupe, c'est une chute vertigineuse qui fait vibrer en réponse tous les autres mouvements.

Est-ce le matin ou le soir? Question, on l'a souvent remarqué, qui pouvait se poser pour une

Bruegel: La chute d'Icare - vers 1558.

œuvre de Claude Monet dont le titre a autant scandalisé que l'image et a plus qu'elle encore d'importance historique : « Impression, soleil levant ». Une analyse générale de la trajectoire du peintre montre quelle valeur il convient d'accorder au mouvement ascendant de ce cercle rouge, émanation, indiqué seulement par les mots.

6   *deux points verts*

A partir de la fin de la guerre de 1914, Wassily Kandinsky choisit avec bien plus de soin les titres de ses tableaux, les inscrit dans le catalogue qu'il en

Kandinsky: Deux points verts - 1935.

tient lui-même. Le répertoire des mots qu'il emploie et leurs relations avec les images qu'ils désignent mériteraient une étude. Voici par exemple une œuvre de 1935, numérotée 616. Ce sont des quasi-rectangles verticaux superposés, avec des transparences de couleurs. Quelques formes sinueuses par-dessus. Je remarque très vite une sorte de serpent sombre sur la droite et, entre deux groupes, trois arcs les uns au-dessus des autres, tels des ponts (tout cela est à rapprocher du tableau de 1931, numéroté 546, intitulé « Pont »), et trois bâtons verticaux au-dessous. Mais Kandisky l'a nommé « Deux points verts ». Dès que j'ai lu ce titre, je les cherche et trouve en effet, un peu à droite du centre, près du bord supérieur, deux cercles identiques bicolores : leur partie verte, en haut, est un peu plus importante que leur partie violette ; mais comme ils sont nommés « verts », je suis obligé d'interpréter ce violet comme une transformation du vert due à l'activité du quasi-rectangle qui les recouvre à cet endroit. Toute la composition paraît alors s'irradier de ces deux éléments, les seuls qui se répètent littéralement.

La composition la plus « abstraite » peut exiger que nous lisions son titre pour nous déployer toutes ses saveurs, toutes ses vertus.

7 *atténuations*

Mais si le titre a une si grande importance pour l'organisation plastique elle-même, il est évident que des œuvres d'art peuvent être dangereusement mal nommées. Le peintre qui n'y prend pas garde peut par un titre inconsidéré nous empêcher de voir son tableau qu'il faudra alors débarrasser de cette pièce étrangère, ce qui ne sera possible qu'en la remplaçant par une autre mieux adaptée. Et de même que l'on peut restaurer les images en décapant les couches de peinture ou vernis parasites, on peut aussi restaurer les titres, éliminant des malentendus accumulés souvent depuis des siècles.

Bien des peintres récents, conscients confusément mais effarés de cette importance des noms, et n'osant trop se risquer dans le périlleux empire des mots, se sont efforcés de rendre les désignations de leurs ouvrages aussi neutres que possible. Il y a des titres éclatants, des titres qui sont des poèmes, qui se proclament ou se déclament ou se distillent, comme ceux des surréalistes, il y a aussi des titres de discrétion, ceux qui cherchent à se faire oublier, qui nous murmurent, comme avec une toute petite voix : ne me regardez pas, ne faites pas attention à moi, je suis à peine un mot.

Ces titres neutres sont en général des mots déjà employés pour désigner des groupes de tableaux : au lieu de dire «le Chêne» ou «le Pont de Moret», je dis simplement «Paysage», désindividualisant ainsi en apparence (mais le peintre ne compte-t-il pas que son paysage sera parfaitement reconnaissable, impossible à confondre avec tous ces autres, toute cette foule de paysages...). La neutralisation la plus poussée ne serait-elle pas réalisée alors par l'adoption d'un pur numéro d'ordre, d'«opus»? C'est que l'utilisation d'un chiffre souligne l'absence d'un vrai titre, parfois d'une façon si positive qu'elle constitue une sorte d'appel pathétique vers la nomination, tableaux catéchumènes. Le seul fait d'employer les lettres de différents alphabets, comme l'a fait Morris Louis est lié à toute une problématique de l'œuvre. L'examen de tels marquages peut nous aider à décrypter les richissimes valeurs titrales cachées parfois sous le gris masque de simples chiffres.

Les mots «paysage» ou «composition», la lettre «c», le chiffre «7» peuvent se révéler à l'usage des titres parfaitement inadéquats pour les ouvrages auxquels ils sont attribués, et il faudra peu à peu nous en débarrasser en les remplaçant par d'autres meilleurs pour que nous les puissions enfin regarder, mais surtout, même s'ils conviennent à peu près, même s'ils ne sont pas trop trompeurs, s'ils ne déforment pas l'image, les titres trop neutres ont en général une valeur d'identification si faible que l'on ne peut les conserver. Ils ne nous permettent pas, dans la conversation ou l'étude, de repérer de quelle œuvre il s'agit. Les spécialistes utilisent, pour suppléer à cette insuffisance, une triangulation, un quadrillage, dans lequel la localisation de l'œuvre, le musée ou la collection qui l'abrite, devient l'indice décisif, la «Madone» devient la «Madone de Dresde», la «Composition» celle de la collection X, mais comme ceci ne peut évidemment nous permettre, à un degré moindre d'information, de préciser que c'est bien telle «Composition » qui est dans la collection X et non une autre, c'est le tableau lui-même le plus souvent qui doit nous montrer par quel aspect ou détail il est possible de le distinguer ; la «Nature morte» devient «Nature morte au biscuit ».

8   *verso*

Si certains peintres amenuisent, neutralisent le titre autant qu'ils le peuvent, abandonnant ainsi en fait le titrage à autrui avec tous les risques de détérioration que cela comporte, d'autres, ayant abordé le problème de front, tiennent à la conservation de leurs appellations autant qu'à celle de leurs toiles. Aujourd'hui le nom est en général inscrit au verso. Lors d'une exposition, il sera présenté lui aussi sur le catalogue ou par étiquette, mais une fois l'œuvre achetée, dans la plupart des cas il restera tourné contre le mur, peu à peu oublié.

«Cela se passe en innocence», nous dit Pierre Alechinsky, titreur d'élite, dans son livre «Titres et Pains perdus», où il s'efforce de nous réexposer les siens, indispensables à l'appréciation générale de

Alechinsky signant son tableau: Harpo - 1964.

son activité, «dans un salon, lorsque le maître de maison déclare pour rassurer : « La peinture doit se suffire à elle-même ». Il est vrai, les tableaux n'imposent pas leur titre. Il faut les retourner face au mur (donc ne plus les voir) pour lire ce qu'au revers le peintre a inscrit. Et l'amateur d'images, le consommateur immédiat, lit peu, aujourd'hui : c'est connu. Il a la mémoire visuelle de ce qu'il possède, il fera de grands efforts pour décrire son tableau avec des mots divers mais ne l'appellera jamais par son nom. Il ne le reconnaît pas. C'est son tableau. C'est lui. Les chiens aussi en se perdant perdent leur nom.»

A vrai dire la perdition, l'occultation individuelle des titres d'Alechinsky est inscrite dans leur ensemble. Ils sont rédigés pour être soumis à l'épreuve de l'empoussièrement et de l'oubli, toujours récupérables au premier déménagement ou au changement de propriétaire. Ils forment une méditation fragmentée sur leur situation au dos de l'œuvre, donc sur le fait que pour nous les peintures sont des objets à une seule face noble. comportant un revers honteux.

Klee : «Einst dem Grau der Nacht enttaucht...», détail - 1918.

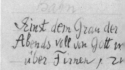

22

9 *légende*

Mais si le titre prend tellement d'importance pour le peintre qu'il veuille que le spectateur l'ait toujours sous les yeux lorsqu'il regarde l'image, il lui faudra l'inscrire lui-même sur la bonne face. Ainsi Paul Klee présente ses dessins et aquarelles avec leurs admirables titres calligraphiés sur une ligne tracée à la règle au-dessous. Mais ici nous pénétrons dans une région toute différente, car, jusqu'à présent, nous avions bien, dans notre noyau pictural, une image et un titre associés, mais celui-ci restait à l'extérieur du cadre, à n'importe quelle distance, et la façon dont il était écrit, la couleur de l'encre, la forme des boucles, ne jouait en principe aucun rôle. Nous avons maintenant une œuvre formée de deux parties s'adressant à l'œil simultanément : l'aquarelle (ou gouache, dessin, etc...) et l'inscription sous-jacente : « une feuille du livre urbain », « à la limite des régions fertiles », entourées par le même souverain rectangle.

La ligne de texte, soigneusement manuscrite, possède un vecteur d'autant plus puissant qu'elle est plus longue. Nous suivons le mouvement de la plume, tous ses gracieux méandres, mais surtout le déplacement de la main elle-même, d'une lettre à l'autre, d'un mot à l'autre, obligatoirement, dans nos écritures, de gauche à droite. Notre œil doit suivre ce trajet pour comprendre. C'est comme s'il y avait une grosse flèche, une poigne, nous contraignant d'aller par-là. L'ensemble de la composition est profondément influencé par un élément si actif.

Et cette légende soulignera le tout d'une barre. Ces traits, ces couleurs et formes, seront en quelque sorte enracinés dans le sol du texte. A tel

Klee: «Einst dem Grau der Nacht enttaucht...» - 1918.

point que pour certains thèmes, Klee est obligé de déplacer ce support qu'il trace à la règle, consciencieusement, comme le plus ironiquement docile des élèves, de l'introduire à l'intérieur même de son image, avec tous les mots dont il est chargé, tel un train de péniches enfonçant sous le poids des sacs de charbon ou de sable.

En 1921 «le Vapeur passe devant le Jardin Botanique», phrase entre les deux rives d'un fleuve, qui engrène en quelque sorte la progression du bateau, laquelle est prolongée par le signe conventionnel de la flèche à l'avant, l'entraînant hors des limites de la feuille. Une autre flèche relie le texte tel qu'il est placé, à l'endroit qu'il occupe à l'habitude, au-dessous de l'image au centre.

Toute inscription, à l'intérieur du cadre, va attirer le regard, d'autant plus longtemps, donc d'autant plus fortement, qu'elle nous demandera plus d'effort pour la déchiffrer; le peintre, par sa géométrie, doit intégrer ou au moins compenser cette formidable attraction.

10 *escargot femme fleur étoile*

Plus la légende sera éloignée de sa place normale de base ou sol, plus elle dérangera, informera notre contemplation.

Et si son écriture diffère de l'habituelle, si elle est par exemple ornée, encadrée, soulignée, raturée, surtout si elle quitte cette horizontale à laquelle nos conventions l'astreignent...

Miró aurait laissé à l'extérieur de son carton de tapisserie les quatres termes « *Escargot femme fleur étoile* », certes nous aurions été invités à leur y chercher à chacun un répondant – même sans eux nous y aurions repéré sans doute non seulement une femme mais bien trois ; aurions-nous pensé par contre à l'escargot, la fleur, l'étoile ? les voici qui rampent et bavent, s'épanouissent, embaument, scintillent, prophétisent, se féminisent à l'appel de ces mots, lesquels font scintiller, s'épanouir et délicieusement ramper ces dames –,

mais il a peint son titre parmi les figures, en écriture cursive, laquelle implique une certaine vitesse, la continuité du trait, au rebours de ce qui se passe pour les caractères d'imprimerie, faisant glisser, patiner (crissement des anciennes plumes sur les bassins gelés des feuilles), couler onctueusement, filer (oscillations du pinceau sillonnant la toile, mer d'huile) d'un bout à l'autre du mot,

mais ces mots eux-mêmes, il les a reliés par une véritable laisse qui prend dans ses boucles notre regard et nous empêche de considérer l'un sans l'autre : c'est une piste sur laquelle nous dévalons,

Miró: Escargot, femme, fleur, étoile - 1934.

passant indéfiniment d'escargot à étoile et de
femme à fleur, lasso capturant les acteurs et les
entraînant dans son doux cyclone.

Et afin de pouvoir s'affranchir du mouvement
de gauche à droite auquel semblait, dans l'inter-

valle d'une seule ligne, le confiner notre écriture, au lieu de passer de son trait continu, tel un clerc de notaire trop paresseux pour lever la plume entre deux prénoms, de la dernière lettre du mot précédent à la première du suivant, c'est le «f» de «femme» qu'il accroche au «f» de «fleur», c'est le dernier «e» d'«étoile», tout à fait à droite, qu'il relie au «e» initial d'«escargot» sur la gauche, mot que nous lisons normalement le premier, et à l'intérieur duquel se produit une nouvelle rétrogradation.

Non seulement zigzag, mais va-et-vient.

Chacun des termes informant spécialement la région qui l'entoure, nous avons tendance à chercher ce que désigne «escargot» ou «fleur» dans leurs parages, alors que, inscrits hors du cadre, leur influence se répartissant tout d'abord uniformément sur toute la surface, rien ne nous aurait empêchés d'interpréter comme escargot la figure de droite. Quant à l'«étoile», particulièrement ample, entouré des autres mots ou de leurs laisses, comme il l'est des trois figures, nous voyons bien qu'il est là moins pour les qualifier que pour remplacer une étoile absente (celle que nous aurions cherchée en vain, ou identifiée par erreur, si le titre était resté à l'extérieur du cadre), ajouter à lui seul un quatrième élément nécessaire, quatrième règne.

11 *les chiens célèbres*

S'il est parfaitement compréhensible qu'un artiste aujourd'hui inscrive le mot « fleur » sur son tableau pour nous faire découvrir une fleur dans une figure où vraisemblablement nous n'aurions pas su la reconnaître seuls, dans d'autres époques où l'on exigeait du peintre qu'il fît reconnaissable, la présence du titre sur la toile exige une autre justification. Si le tableau représente sans la moindre équivoque un arbre, le mot « arbre » le désignera parfaitement sur le catalogue, mais il est inutile de l'inscrire à l'intérieur du cadre. Par contre, s'il s'agit d'y reconnaître non point un arbre en général, mais telle sorte d'arbre, un chêne par exemple, et surtout tel chêne individuel, alors le modèle peut avoir des caractéristiques telles que la peinture même la plus passionnément fidèle risque de ne pas me suffire à l'identifier. J'ai donc besoin d'ajouter à cette image un aspect qui peut lui manquer, soit pour quelques-uns, soit pour tous. Le titre est là pour combler une lacune. Il ne sert pas seulement à nous indiquer le sujet, ce qui est représenté par le reste de l'image, mais il contribue avec tout ce reste à représenter ce sujet.

Prenons les portraits individuels de chiens que nous devons à Desportes ou Oudry. Si je ne regarde que l'animal, le sujet du tableau me semble être tout simplement « un chien », à la rigueur un chien de telle race, titre que je peux lui donner dans un catalogue, et qui, en apparence, conviendrait très bien, mais laisserait passer l'essentiel. En effet, si je puis identifier tel personnage portraituré, c'est parce que son nom avait pour de nombreux contemporains un contenu très précis, qu'il était lié d'une façon précise aux traits de son visage auxquels la mort pour eux n'a rien fait perdre de leur individualité, par contre la relation entre le nom d'un chien et son signalement, les

Oudry : Blanche, chienne de la meute de Louis XV.

particularités physiques qui le distinguent d'autres de même race, est quelque chose de beaucoup plus fuyant. Impossible bientôt d'identifier tel ou tel, même si nous leur étions très attachés ; leurs noms mêmes redeviennent communs, ils ont trop peu d'historicité. Il ne s'agissait donc pas de montrer comment était tel chien fameux, dont le nom restait bien connu par ailleurs, mais de conserver au nom de ce chien une individualité qu'il aurait nécessairement perdue sans le secours de cette figuration. Le nom ne pouvait rester « propre » que peint sur le tableau.

12   *aetatis suae*

Ce n'est pas seulement sur les portraits des chiens qu'on inscrit le nom du modèle, mais sur de nombreux portraits d'hommes, en particulier ceux des princes.

Regardons ici jouer le mot « titre ».

Le peintre inscrit naturellement le nom du modèle noble, royal, sur le portrait qu'il fait à sa ressemblance parce que son modèle est avant tout un nom, le signe de sa province ou de son peuple. On peut même dire que ce visage dont il nous détaille les yeux, les lèvres, même les cheveux parfois un par un, apparaît à l'intérieur d'un nom.

Voici le visage qu'a aujourd'hui le roi d'Angleterre, le comte de Surrey. Voici comment vous pourrez le reconnaître la première fois que vous le verrez. L'objet du tableau n'est point de nous faire retrouver les traits d'un individu que nous avons déjà rencontré, mais de nous rendre capable de l'identifier à coup sûr, ce personnage dont nous avons nécessairement déjà entendu parler, lorsque nous irons en ambassade ou mission (ainsi Philippe II envoyant à Marie Tudor qui ne l'avait jamais vu, avant leur mariage pour raison d'Etat, son portrait par le Titien, lui recommandant par lettre, puisqu'elle n'avait évidemment pas l'habitude de la technique révolutionnaire de cet artiste, de se placer assez loin de la toile pour que se produisît au mieux l'apparition).

Dans la permanence d'un titre ou d'une fonction se succèdent des incarnations différentes : à ce nom correspond maintenant cette tête, mais attention, cette tête même est changeante ; avant que la mort l'ait fait remplacer par une autre, des rides vont s'y creuser, les cheveux blanchiront, tomberont, le costume évoluera. Le portrait a son maximum d'efficacité si visage et nom sont scellés dans un seul hiéroglyphe, mais à partir du moment où le modèle y devient méconnaissable, tout se détériore. Celui à qui on envoie l'œuvre risque de se dire, au moment essentiel : celui-ci n'est donc pas le compte de Surrey. Si je vois à la fois l'original et son image, il faut en celle-ci quelque chose qui m'explique leur dissemblance, comble cette fissure qu'elle creuse. C'est pourquoi Holbein va régulièrement préciser le nom par l'âge. Dans bien des cas il n'inscrira même que l'âge, laissant l'identification se faire par d'autres moyens.

A partir de 1532 environ, il dispose ses mots, belles capitales romaines le plus souvent, et ses chiffres en une ligne horizontale sur le fond neutre dont rien ne permet de préciser la distance, de part et d'autre du visage ; comme celui-ci s'en détache avec la même intensité, il apparaît comme interrompant le cours de cette ligne qui vient se placer sur le même plan que lui.

Dans les portraits des deux Hermann Wedigh, marchands de Cologne, nous avons à gauche l'année : « anno 1532 » ou « anno 1533 ». à droite l'âge : « aetatis suae 29 » ou « aetatis suae 39 ». Le temps coule le long de cette ligne, comme notre lecture, de gauche à droite, et le visage du centre est ainsi situé dans le temps, mais Holbein a compensé cette fuite à droite en prenant le caractère même que l'on peut admirer sur les ruines antiques, symbole de permanence au milieu des éboulements :

EXEGI MONUMENTUM AERE PERENNIUS,

(d'ailleurs l'ordre des mots latins fait que
« suae » déterminant « aetatis » nous renvoie vers la
gauche, vers le visage actuel),

mais surtout en équilibrant deux datations du
même moment. Pourtant l'une est évidemment
subordonnée à l'autre : « anno 1532 » nous renvoie
à l'ère chrétienne, au point d'origine de ce calen-
drier à l'intérieur duquel se déroule toute la vie de
ce marchand

(dans d'autres œuvres il précise « anno
domini »);

Holbein : Portrait d'un membre
de la famille Wedigh - 1532.

« aetatis suae 29 » nous renvoie à sa naissance, laquelle se situe nécessairement entre son âge actuel et cette origine. C'est du fond de cette naissance que le regard du personnage arrive vers nous.

Holbein essaiera par la suite de nouvelles dispositions. Dans le portrait d'un membre de la famille Vos van Steenwijk, du musée de Berlin, le visage est entouré par les quatre termes de sa datation :

ANNO	1541
AETATIS	SUAE 37

Holbein : Portrait de Hermann Hillebrandt
Wedigh de Cologne - 1533.

35

celui-ci (son visage réel est recouvert par la terre ou la dalle, inaccessible, méconnaissable de toute façon). Le tableau est devenu monument d'un ancêtre ; un nouvel empereur est déjà nommé, le jeune Charles Quint.

A gauche le blason de la famille de Habsbourg, sommé de la couronne impériale, entouré du collier de la Toison d'or : les titres, tout ce qui resterait valable pour un portrait du successeur, mais à droite une longue inscription va fermer le cours de cette existence individuelle :

« TRÈS PUISSANT TRÈS GRAND ET TRÈS INVINCIBLE CÉSAR MAXIMILIEN QUI TOUS LES ROIS ET PRINCES DE SON TEMPS EN JUSTICE PRUDENCE MAGNANIMITÉ LIBÉRALITÉ MAIS SURTOUT EN GLOIRE GUERRIÈRE ET FORCE D'ÂME DÉPASSA EST NÉ L'AN DU SALUT DES HOMMES 1459 LE 9 MARS A VÉCU 59 ANS 9 MOIS 25 JOURS

MAIS EST MORT L'AN 1519 MOIS DE JANVIER JOUR 12

LEQUEL DIEU TR EXC TR GR AU NOMBRE DES VIVANTS VEUILLE REPORTER »

39

«Maximus«, «Maximilianus», à la première ligne ; nous retrouvons en écho à la dernière l'abréviation «max», laquelle s'applique en fait pour Dürer au seul «maximus», au seul véritablement «très grand». Terrible écho! Ici plus besoin d'écrire en entier l'épithète, elle appartient si éternellement à ce nom des noms que nous ne pouvons manquer de la prononcer intégralement dès que nous en lisons la première syllabe. Au contraire la mort a dépouillé Maximilien de tout ce qui lui venait de son titre de César, de cette couronne impériale aujourd'hui sur une autre tête, de toute la première ligne de ce texte. Il ne reste plus de lui que ses vertus, lignes 2 à 4, lesquelles se sont manifestées tout au long de sa vie terrestre, ligne 5 ; Dieu le fait mourir ligne 6 ; ligne 7 est l'espoir de sa résurrection.

Détaillons maintenant les étages de ces vertus : viennent d'abord celles que l'on exige d'un empereur (et de tout roi ou prince mais à un moindre degré) : justice et prudence, puis celles qui sont proprement nobles, qui exigent pour se manifester un certain avoir et pouvoir : magnanimité, libéralité, éclat guerrier (en ce temps de tournois et cuirasses), enfin celle qui distingue l'individu quel que soit son rang : la force d'âme. Le mot «âme», annoncé par le mot « magnanimité » juste au-dessus, commande cette quatrième ligne, celle de la naissance et du salut.

Dürer a offert l'un des deux exemplaires de ce portrait à la fille de Maximilien, Marguerite de Savoie, qui gouvernait au nom de son neveu Charles, et il note dans son journal que ce cadeau a tellement déplu à celle-ci qu'il a préféré le reprendre, le vendant par la suite à Tommaso Bombelli contre une pièce de drap anglais, c'est-à-dire s'en débarrassant. Qu'est-ce donc qui a tant choqué la régente dans ce portrait de son père ? Sans doute le fait que malgré l'inscription, c'était trop l'empereur « vivant » ; il l'aurait gênée pour remplacer, à l'intérieur de la fonction impériale, son visage par celui du jeune Charles. Il fallait en effet que les portraits des « saints » ancêtres consolidassent l'autorité de la famille, proposant certes des exemples au nouveau chef, fournissant aux autres des termes de comparaison pour apprécier sa justice ou sa prudence, mais sans risquer d'opposer à la souveraineté du roi ou de l'empereur actuel celle du fantôme de son prédécesseur.

Dürer avait pris soin de remplacer dans la main de Maximilien le globe du monde, qu'il aurait dû tenir pendant sa vie, par une grenade entrouverte, emblème de mortalité et résurrection, les graines apparaissant dans la blessure de l'écorce. La disposition du texte à droite répond exactement à celle des objets à gauche. Cette insistance sur l'espérance de la résurrection empêche l'icône de Maximilien de pouvoir être située d'emblée de façon stable parmi celles des saints ancêtres. Solitaire, dépouillé, pathétique dans son attente du salut, tel qu'il est présenté ici, il ne peut que hanter ses descendants.

Monument donc, mais monument entrouvert, toute filiale qu'elle ait pu être, la reine a besoin de fermer la tombe.

14 *o vos omnes*

Bien des objets dans les tableaux anciens étaient des mots. Chaque saint était caractérisé par un ou plusieurs objets : Agnès par un agneau, Roch par un chien, Pierre par une clef, Jérôme par un livre et un lion. Pour les martyrs c'est très souvent l'instrument de leur supplice, ou bien la partie suppliciée. Alors que Holbein s'efforce de compenser le caractère transitoire de la ressemblance en encadrant le visage de sa date, ici le saint se présente à nous dans l'instant de son acte suprême, de ce témoignage qui le manifeste comme saint ; pour lui, le temps ne bouge plus, c'est ainsi qu'il est pour l'éternité ; même la résurrection de sa chair ne pourra rien changer à cette transformation de sa chair en preuve.

Très souvent les deux vocabulaires sont utilisés simultanément : le saint est muni de son emblème, et pourtant son nom est inscrit sur l'image, et ceci même si l'identification ne pose aucun problème. Dans un sanctuaire où l'on a toujours vénéré tel saint, si l'on change l'icône, on ne change évidemment pas la dévotion, et pourtant il est nécessaire de relier visuellement cette image à la précédente, et ceci d'autant plus que l'aura, la puissance de celle-ci était plus grande. Oui nous admettons qu'il s'agit toujours de saint Marc, mais nous avons besoin que ce nouveau visage soit accompagné du lion ailé, du livre ouvert avec son texte où entre le mot « MARC », pour pouvoir l'appeler quand nous penserons à ces emblèmes et ne pas toujours être renvoyés au visage antérieur disparu. L'inscription simple ou double est nécessaire à la continuité du sanctuaire.

Dans la « Pietà » de Villeneuve-lès-Avignon, la Vierge, la Madeleine et saint Jean, de par leur rôle dans la scène, sont immédiatement identifiables même pour le chrétien le moins instruit, leur nom est pourtant inscrit dans leurs auréoles : au contraire nous ne reconnaissons pas le donateur, mais aucun texte ne nous tire d'ignorance. Quant au

Christ, il n'a qu'une auréole de rayons sans aucune lettre. Les mots :

JOHANNES EVANGELISTA

VIRGO MATER

MARIA MAGDALENA

ne sont pas peints, à vrai dire, mais gravés sur le fond d'or et fort difficiles à déchiffrer à première vue ; ce n'est que lentement, selon l'éclairage, que nous retrouvons ces mots lettre à lettre. Ils ne sont

Anonyme : Pietà de Villeneuve-lès-Avignon - vers 1455 *(détail p. 47)*.

pas là pour nous permettre d'identifier les personnages, ce qui est fait bien plus tôt, mais pour nous amener à prononcer respectueusement leurs noms le plus souvent possible. Ils ne doivent être lisibles qu'avec un certain retard ; ils nous obligent à faire attention à eux. Nous nous trouvons devant le même phénomène que devant les inscriptions à orthographe surprenante dans les tombes égyptiennes, destinées à provoquer la prononciation effective du nom du mort. On connaît le rôle des déformations orthographiques dans la publicité moderne.

La disposition circulaire autour de chaque tête participe à ce ralentissement, ce retardement de la lecture, certaines lettres se trouvant en position renversée, mais surtout le tableau se trouve en quelque sorte cloué par cinq cercles d'or : les trois auréoles, le nimbe du Christ, et cette étoile telle un bijou agrafé au revers du manteau de la Vierge, stella matutina.

Le fond d'or est le ciel sur lequel s'inscrivent éternellement les noms des personnages sacrés ; l'étoile matutine, traversant l'enveloppe corporelle de la Vierge au-dessus de l'horizon est l'annonce de la descente du ciel sur la terre, que voici réalisée par le corps du Christ mort, dont la tête au-dessous de l'horizon s'irradie.

L'absence de nom dans ce nimbe se révèle alors tout aussi importante que leur présence dans les autres : il est dans la méconnaissance, il faudra attendre la résurrection pour qu'il se déploie tout entier.

Irradiation d'or qui nous révèle les noms des autres comme irradiation de leur tête : secrètement, indéfiniment, à partir de leur entrée dans le ciel, ils prononcent leur nom dans le concert des anges, et c'est à cette prononciation que nous associe le déchiffrement.

Dans l'auréole centrale, «Virgo» et «Mater» s'équilibrent. «Mater» est lisible quand on est du côté de saint Jean ; en effet, le Christ lui dit au Golgotha : «voici ta mère». «Virgo» est lisible du côté de Madeleine. Jean donne éternellement à la Vierge le nom de mère, la pécheresse célèbre éternellement la mère de Dieu en lui donnant le nom de vierge ; leurs rayons de lecture se croisent dans ce cercle.

Le prénom «Maria» qui s'applique aussi bien à la courtisane de Magdala qu'à la mère de Jésus, est inscrit du côté de celle-ci. Le mot «évangéliste» regarde vers le crucifié.

Mais nous n'avons pas épuisé la sonorité d'un tel tableau. Toute la partie d'or céleste est encadrée

par une longue inscription en caractères plus petits qui va se lire encore plus lentement :

« O vos omnes qui transitis per viam attendite et videte si est dolor sicut dolor meus. »

« O vous tous qui passez par la route, arrêtez-vous et regardez s'il existe une douleur comparable à ma douleur. »

Il s'agit des paroles attribuées par la liturgie catholique à la Vierge lors des offices des vendredi et samedi saints.

D'abord montant à gauche, ce qui nous arrête dans notre passage sur la route habituellement horizontale de notre lecture, et voici notre cheminement figuré, notre distraction, avec les mots « attendite et videte » qui nous retiennent, puis descendant vers la droite pour nous ramener à l'incarnation de cette douleur.

Pieux piège.

15   *diagramme du lieu*

Dans la « Pietà » de Villeneuve-lès-Avignon, les personnages sacrés sont immédiatement identifiables ; il n'en est pas toujours ainsi pour ces innombrables retables que nous propose par exemple l'Italie dans les débuts de sa renaissance. L'icône derrière l'autel présente en général non point un seul saint, mais une combinaison de plusieurs, chacun, à l'origine, bien isolé dans sa niche, chacun possédant des vertus particulières et ses relations propres à la géographie de la région.

Si une église nouvelle remplace plusieurs chapelles antérieures, il faudra bien que chacun des saints qui y étaient honorés y trouvent leur place. Le retable est une sorte de diagramme de la situation du lieu par rapport aux influences célestes. On voit comme il a pu être facile à des représentations astrologiques de se glisser à cet endroit. Si une ville se soumet à une autre, ne faudra-t-il pas en compensation que le patron des vaincus reçoive un hommage chez les vainqueurs? Si une dévotion nouvelle s'instaure, après une peste, après un miracle ou une victoire dans laquelle le saint fêté ce jour-là semble avoir eu quelque participation, il faudra pourtant conserver une place aux patrons anciens, le diagramme va se compliquer. L'histoire de la concentration des dévotions s'inscrit dans le retable comme celle de la concentration des héritages dans le blason.

Il ne nous suffit pas d'être sûrs que saint Théodore est encore honoré en ce lieu, qu'il est sensible à des prières qui en émanent, il faut encore que nous puissions vérifier sa situation par rapport aux autres que l'on y honore aussi.

Aussi faut-il prendre toutes les précautions pour que les identifications soient justes. C'est alors qu'il nous faut un double vocabulaire ; emblèmes et inscriptions.

Le nom est un des attributs fondamentaux du saint : lors du baptême, en appelant l'enfant Pierre ou Paul, on lui donnait du même coup comme « patron », c'est-à-dire à la fois comme modèle et comme protecteur, saint Pierre ou saint Paul, il faisait déjà partie de la maison céleste, du chœur de celui-ci. Le jeune Pierre devait pouvoir aller voir à l'église comment s'inscrivait son propre nom sous l'icône qu'il était capable d'identifier par sa clef. Ainsi les emblèmes aidaient au déchiffrement de l'écriture conjointe, celle-ci permettant inversement au voyageur d'apprendre que dans telle région c'était tel saint que tel emblème signalait.

16   *sainte conversation*

Comme l'évolution de la peinture italienne vers un illusionnisme de plus en plus poussé a rendu bientôt difficile le placement des inscriptions dans les tableaux, au bout d'un certain temps, dans les « sainte Conversation » en quoi se transforment les anciens retables ayant perdu tout leur compartimentage architectural, les saints, devisant dans un même lieu, ne sont plus identifiables que par leurs emblèmes, lesquels apportent dans ce « réalisme », chez Giovanni Bellini en particulier, une fantaisie singulière. Un romanesque fantastique se développe à partir de la mise en présence des attributs autrefois bien séparés. Si nous voyons dans une niche la roue dentée de sainte Catherine et dans une autre le lion de saint Jérôme, chacun de ces emblèmes ne concerne que son propre saint et est immédiatement reconnu comme emblème ; si au contraire, dans un seul paysage ou une seule salle, j'assiste à la rencontre de la roue et du lion, toute une étincelle d'aventure jaillit entre ces deux pôles.

Les personnages principaux du tableau des Offices dit « Scène allégorique » sont des saints facilement reconnaissables pour la plupart à leurs emblèmes, mais nous oublions que des flèches fichées dans un nu masculin doivent se lire « Sébastien » pour rêver à ce que peut bien faire ce jeune homme si tranquillement hérissé de dards, si doucement blessé, au milieu de ce merveilleux paysage, parmi ces dames qui conversent et ces angelots que nous prenons pour des amours.

17 *les litanies*

A cause de la victoire des emblèmes sur les inscriptions dans les «sainte Conversation», victoire qui d'ailleurs les obscurcit très vite, ne leur conserve plus que leur valeur de fantaisie, nous avons tendance à considérer que, dans la dévotion aux saints, donc dans l'art des retables, l'emblème était l'essentiel et l'inscription superfétatoire, presque comme si elle n'avait été disposée que pour nous aider, nous modernes, à mettre un nom sur ces figures. Ce qui était important, n'était-ce point que le saint puissant pour guérir la rage, Roch, fut désigné clairement, même aux yeux de l'illettré, par un chien, le saint à prier en cas d'incendie par un feu? Mais pour que la prière fût vraiment efficace, il était nécessaire que le saint fût appelé par son vrai nom, et donc il fallait réserver dans l'image une place pour ce nom, une place où même ceux qui ne savaient pas lire pussent reconnaître au moins qu'il y avait de l'écriture.

Ou du moins qu'il aurait pu, qu'il aurait dû y en avoir: toutes ces banderoles, tous ces cartouches, à partir du seizième siècle, dont le texte n'est plus lisible par personne ; curieux clivage, c'est pour ceux qui ne savent pas lire qu'il faut que le nom soit inscrit, donc il n'est pas absolument nécessaire qu'il le soit en réalité, il suffit qu'il y ait sa place, le lettré par contre se détache de la dévotion à tel saint particulier, plus ou moins entachée de superstition, l'embrasse dans le chœur des bienheureux auquel il appartient, ce qui peut être suffisamment précisé par un emblème générique. L'illisibilité de l'inscription ou son absence dans le lieu qui lui était pourtant réservé n'est autre que le malentendu, l'illisibilité progressive l'une à l'autre qui sépare les couches de la population.

Mais surtout l'emblème ne représentait jamais qu'un des aspects du personnage sacré alors que son nom le désignait dans sa totalité. Non seulement chaque saint pouvait figurer à l'intérieur d'une litanie, accompagné de ses frères en influence, mais une litanie personnelle pouvait détailler ses vertus. On connaît de nombreux tableaux composant différents objets correspondant chacun à l'un des termes des louanges à la Vierge :

« miroir de justice, trône de la sagesse, rose mystique, vase spirituel, tour de David, tour d'ivoire, maison d'or, arche d'alliance, porte du ciel, étoile du matin »

(circulation qui lie cet emblème, dans la « Pietà » de Villeneuve-lès-Avignon, au nom « Maria » inscrit sur l'auréole de la Madeleine, laquelle tient sa boîte de parfums, et au visage autour duquel «Virgo» et «Mater» détaillent deux autres aspects).

Le peintre, ou naturellement le clergé qui lui déterminait son sujet, était obligé de choisir entre ces versets réels ou possibles l'emblème le plus sûr, le plus propre en particulier à distinguer tel saint des autres du même retable, mais à partir de ce signal, le fidèle qui voyait par exemple la figure d'un homme tenant une clef, devait recourir au nom pour s'adresser à la personne tout entière, tourner son esprit non seulement vers le portier du paradis, mais aussi vers le fondateur de l'Eglise, le pêcheur du lac de Tibériade, le crucifié la tête en bas, vers tout ce que les sermons, offices et récits pieux accrochaient aux syllabes de Pierre.

18   *le creuset d'un texte inconnu*

Inscription qui doit être là précisément pour la partie de la population qui ne sait pas lire, mais si le lettré se trouve incapable de prononcer ces quelques syllabes dans l'attitude qui convenait, si la population tout entière découvre peu à peu qu'elle est par rapport aux images qu'elle produit dans une telle incapacité de lecture... Alors l'absence de l'inscription dans le lieu préparé pour elle deviendra certes nostalgie d'un état de choses à jamais révolu, mais aussi dénonciation d'un vide, d'une incapacité de notre langage, appel vers un nouveau déchiffrement, un autre texte.

Ainsi Marcel Duchamp réserve dans «La Mariée mise à nu par ses célibataires même» la place de «l'inscription d'en haut», dont il nous explique par ailleurs, dans la «boîte» associée à cette œuvre, comment il avait un moment songé à en réaliser les illisibles caractères.

Que de pièges de toile aujourd'hui pour quelques mots futurs, que de méditations visibles sur leur nécessité...

L'emblème lorsqu'il était seul appelait son inscription. Le tableau devenait alors une énigme dont la solution était ce nom du saint qu'il fallait prononcer.

Mais lorsque les emblèmes ont été mis en liberté, les énigmes se sont multipliées de telle sorte que ces noms ne pouvaient plus être une réponse suffisante, un mouvement d'interrogation s'est déchaîné, comme dans le Bellini des Offices, que les réponses ne suffisent plus à calmer. L'évolution du retable ancien vers la «sainte Conversation», résultat d'un changement d'attitude de la partie lettrée de la population par rapport à la dévotion aux saints, ronge peu à peu tout le culte.

Tout l'art de Jérôme Bosch vient d'une telle mise en liberté des emblèmes, empruntés cette fois pour la plupart aux figurations allégoriques, en particulier celles des vices et des vertus, le choc de ces objets à résonance morale produisant l'image, comme celui des mots dans la théorie surréaliste de la poésie. Toute combinaison inhabituelle de personnages et d'accessoires invitant, dans une telle perspective, à rechercher les mots auxquels ils s'attachent, le tableau ne sera vraiment complet que lorsqu'on lui aura rendu son texte, mais comme la mise en liberté méthodique multiplie à l'infini ces combinaisons

(une des raisons qui l'ont amené à rénover si profondément l'art du paysage, cette mobilisation hiéroglyphique exigeant le creusement et le déploiement de l'espace à l'infini, donc une systématisation de l'art des lointains déjà apparu chez Van Eyck),

on peut dire que son œuvre produit indéfiniment un texte nouveau.

19 *proverbes*

Il existe au musée Mayer van den Bergh d'Anvers une série de douze médaillons circulaires sur lesquels Bruegel l'Ancien a figuré douze proverbes, curieusement enchâssés dans un seul panneau de bois rectangulaire sur lequel sont inscrits les douze textes correspondants. L'indépendance des médaillons incite certains à penser qu'ils n'ont été rassemblés dans le panneau que postérieurement à la mort du peintre, mais l'orthographe est conforme à l'usage de son temps.

Pourquoi cette menuiserie compliquée, certes consolidée et en partie repeinte depuis son invention? Il est probable qu'il s'agissait d'une sorte de jeu. Une fois deviné le proverbe évoqué par le médaillon, on pouvait replacer celui-ci dans sa loge.

Onze de ces douze proverbes se retrouvent illustrés dans le tableau du musée de Berlin, qui, sans la moindre inscription cette fois en compose au moins 135. Car si Wilhelm Fränger a bien décomposé cette œuvre en 92 scènes qu'il a reliées à 92 proverbes ou expressions de l'époque, d'autres chercheurs ont montré que certaines d'entre elles pouvaient en illustrer d'autres ou se décomposer encore. Pour le détail, par exemple, qui représente un homme à genoux devant une maison en flammes, Gustav Glück nous propose les solutions suivantes:

1) «il ne se soucie pas de savoir à qui appartient la maison en flammes tant qu'il peut se chauf-

fer à ses braises» (en effet, le personnage age-
nouillé a les bras disposés de telle sorte qu'il peut
se chauffer les mains),

2) «éteignez l'incendie avant que les flammes
sortent du toit» (les flammes sortent en effet du
toit, et le personnage peut essayer d'éteindre),

3) «où il y a de la fumée, il y a du feu» (il y a
en effet une épaisse fumée),

4) «êtes-vous soldat ou paysan?» (en effet, le
personnage a un casque, mais il est pieds nus).

Il est bien possible que d'autres expressions
viennent encore enrichir cette liste.

Le tableau est entièrement bâti à partir du langage courant et doit réagir sur celui-ci. Toutes ces
façons de parler habituelles, dont les mots se sont
usés, y retrouvent leur étrangeté. D'autant plus que
les proverbes ne sont pas isolés chacun dans un
médaillon comme les saints dans les niches de leur
retable, mais qu'ils se mêlent en scènes et groupes
de scènes: c'est «l'homme au couteau entre les
dents» qui «attache au chat le grelot». C'est le
même procédé d'invention que celui de Lewis Car-
rol dans «Alice».

Il faut que le spectateur trouve lui-même les
mots auxquels le tableau doit rendre leur force, ici
tout un monde d'expressions, toute une encyclo-
pédie du parler quotidien.

Bruegel: Les proverbes néerlandais, détail - 1559.

Bruegel : Le misanthrope - 1568.

20 *le titre amorce*

L'ouvrage de Bosch produisait devant nos yeux
un texte nouveau, différent de ce que nous disions
d'habitude, mais c'est précisément ce que nous
disions d'habitude que celui de Bruegel réussit à
rendre nouveau. Dans les deux cas essentielle est

cette absence du texte qu'il s'agit de nous faire prononcer, mais elle peut être d'autant mieux marquée par la présence d'un autre texte, ou d'un premier niveau de texte qui amorce notre lecture.

Au musée de Naples, un tableau rond comme les médaillons d'Anvers, apparemment proverbial, comporte deux lignes d'inscriptions peintes sur lui-même, non sur le cadre ou quelque panneau d'où on aurait pu le détacher :

> « Comme le monde est si trompeur
> je m'en vais dans la douleur. »

Mais il ne s'agit pas là du proverbe illustré ; ce sont les paroles d'un des personnages, celui revêtu d'une cape noire, dont le capuchon lui cache les yeux, mains croisées, qui poursuit son chemin sans s'apercevoir des épines dont il est semé, ni du fait qu'un homme plus jeune, en partie enfermé dans un globe transparent surmonté d'une croix, emblème du monde, lui dérobe sa bourse.

On retrouve un globe similaire (et plusieurs autres « mondes ») dans le tableau de Berlin, avec un homme qui est obligé de se courber pour parvenir à y faire son chemin.

L'inscription ici est un des éléments de l'énigme proposée ; c'est par l'intermédiaire de cette légende que le tableau appelle son titre.

21 *voilà la femme*

Dans un panneau isolé de retable, le nom du saint inscrit, confirmé par l'emblème, est le titre même que je vais donner à l'ouvrage dans mon catalogue. Le peintre, en choisissant le sien, me souligne souvent un aspect auquel j'aurais pu ne pas penser, mais il peut arriver aussi qu'il m'en révèle un auquel je n'aurais pu penser sans lui.

Au moment du cubisme, l'extrême distance entre l'aspect habituel de l'objet pris pour modèle et le résultat du travail a rendu le titrage très important pour conserver la trace de cet itinéraire. Ici ce n'est plus la ressemblance entre l'objet désigné par le titre et l'image qu'on nous propose qui est intéressante, mais justement leur dissemblance, le titre est alors le témoin d'une apparence perdue, l'échelle qui nous permettra de remonter lentement, délicieusement peut-être jusqu'à elle. Pour évaluer ce trajet, il nous faut obligatoirement un titre, c'est pourquoi il va venir sur le tableau dans certaines œuvres décisives de Marcel Duchamp : les deux dernières versions du « Nu descendant un escalier », « Le Roi et la Reine entourés de Nus vites », « Le PASSAGE de la vierge à la mariée », la « Mariée » de 1912.

Chez Picabia, on voit des titres inscrits, choisis

volontairement très loin de ce que le tableau final nous montre, et ceci indépendamment de tout trajet à partir d'un modèle. Le trajet ici est à l'intérieur même de la nomination. De même que les emblèmes de deux saints différents mis en présence engendraient une étincelle fantastique, comme deux mots empruntés à des régions différentes dans un poème, de même une étincelle de sens nouveau jaillit de la confrontation d'une image et d'un titre désignant à première vue tout autre chose. Ici encore il est indispensable que ce texte soit sur le tableau, sinon le spectateur, ne percevant pas immédiatement la relation, cesserait de consulter le catalogue, pourrait même croire à une erreur, et plus rien ne se produirait.

Aucun trajet pictural d'éloignement progressif par rapport à la vision conventionnelle d'un modèle ne relie la machine que nous propose l'aquarelle de 1915 « Voilà la femme » avec ce titre inscrit dans sa partie supérieure. On pourrait déchiffrer cette œuvre où la nomination est de toute évidence l'essentiel, par la phrase suivante : « que penseriez-vous, quel effet cela ferait-il, si l'on nommait ceci de cette façon ? » André Breton rappelle, dans un texte des « Pas perdus » que « c'est Picabia qui naguère eut l'idée d'intituler des ronds : Ecclésiastique, une ligne droite : Danseuse étoile ».

L'inconvénient de tels titres était que le spectateur pouvait trop vite les interpréter comme parodie, farce, les éliminer par un «j'ai compris» applicable à tous uniformément. Dans les aquarelles de 1922, à propos desquelles il écrit son essai «cet inconvénient disparaît, aucun titre ne faisant image ni, partant, double emploi. Il est impossible de voir

Picabia : Voilà la femme - 1915.

en lui autre chose que le complément nécessaire du tableau ».

Lorsque je lis « Voilà la femme », surgissent à mon esprit toutes sortes de représentations picturales dans lesquelles je reconnaissais sans aucune difficulté une femme, mais la surprise peut être tout aussi grande, et tout aussi fructueuse, si le titre ne produit nul appel de ce genre dans les réserves du musée mémorial, et donc s'il dote l'image présentée, même si quelque objet familier y apparaît dès la première vue sans aucun doute, d'une valeur de figuration par rapport à quelque chose qui n'avait jamais été peint.

Le sujet véritable est évidemment cette métaphore, et s'il est commode de désigner telle aquarelle par le titre qui y est inscrit, celui-ci laisse pourtant échapper quelque chose d'essentiel dès qu'il est détaché dans le catalogue. L'introduction de cette appellation si distante dans l'œuvre même la situe à un premier niveau qu'il convient de dépasser.

22 *la trahison des images*

Au Picabia de 1915, dans lequel une machine qui ne ressemble à première vue aucunement à une femme est désignée par l'inscription « Voilà la femme», répond le Magritte de 1929, dans lequel une pipe peinte de la façon la plus reconnaissable, c'est-à-dire non pas comme nous la voyons, mais comme on a l'habitude de la représenter dans la publicité ou surtout dans les manuels ou affiches scolaires est accompagnée de ce commentaire :

Ceci n'est pas une pipe.

Mais cette fois le texte peint est bien présenté comme n'étant que le premier degré du titre, car il en existe un second, en dehors du cadre, qui désigne de la façon la plus claire ce qui est dénoncé dans l'œuvre : « La Trahison des images ».

En effet, si ressemblante que soit l'image de la pipe, à première vue, ce stéréotype qui la remplace pour nous lorsque nous en parlons, il suffira d'en approcher la pipe réelle pour qu'éclatent les différences et trahisons.

Picabia et Duchamp inscrivaient en général les titres sur leurs tableaux en capitales assez grossières, lointain souvenir des antiques superbes que nous admirons chez Dürer ou Holbein.

(remarquons pourtant la différence de niveau qu'introduit dans «LE PASSAGE de la vierge à la mariée», le passage de la grossière capitale d'imprimerie à une élégante minuscule manuscrite, le mot «passage» ainsi souligné accentuant le mouvement de la lecture),

Duchamp: Le PASSAGE de la vierge
à la mariée - 1912.

ce côté relâché dans le dessin des lettres nous avertissant de tout ce qu'il y avait d'ironie dans ces œuvres par rapport aux naïves nominations utilisées par les peintres du temps. On pourra admirer au contraire l'aspect soigneusement industriel des caractères utilisés pour les étiquettes des deux « Broyeuse de chocolat ».

Par contre, dans « La Trahison des images », le texte est un modèle d'écriture appliquée, l'agrandissement d'une ligne réussie par le premier de la classe et proposée comme exemple à ses condisciples; c'est le type graphique de celui qui apprend, maître ou élève, à se servir des mots.

« La Clef des songes » de 1930, par son compartimentage, nous renvoie naturellement aux polyp-
tyques anciens. Dans chacune des six alvéoles,
nous voyons des objets isolés dans leur ressemblance la plus commune, sous lesquels les légendes
nous donnent d'autres noms. Un œuf est ainsi
baptisé « l'acacia ».

Instruits par « La Trahison des images », nous
pouvons traduire le tableau ainsi :

« Ceci n'est pas un œuf (alors que c'est bien là
le nom que vous auriez donné à cette image si on
vous avait interrogé), mais l'acacia,

ceci n'est pas un soulier féminin mais la lune,

ceci n'est pas un chapeau mais la neige,

ceci n'est pas une chandelle allumée mais le
plafond,

ceci n'est pas un verre mais l'orage,

ceci n'est pas un marteau mais le désert. »

Rimbaud :

« Je vis très sérieusement une mosquée à la
place d'une usine... »

De même que pour « La Trahison des images »,
le fait d'approcher du tableau une pipe réelle mon-
trait l'abîme qui séparait celle-ci de sa représentation, de même, si j'approche un œuf du premier

compartiment de « La Clef des songes », un espace de dissemblance s'étendra à l'intérieur duquel peut apparaître l'acacia. Si je m'adresse aux « Clef des songes » que l'on trouve dans le commerce, ou à la « Science des rêves » de Freud, j'y apprends par exemple que si je vois en rêve une armoire, il me faut en général comprendre en réalité une femme. Le tableau pourrait se lire : « si vous voyez en rêve

Magritte : La Clef des songes - 1930.

un œuf, comprenez acacia », ou, plus profondément : « c'est la distance qui existe entre l'acacia réel et ce que m'évoque ordinairement son nom, l'image que j'aurais tendance à mettre au-dessus, qui lui permet de prendre dans mon rêve l'apparence d'un œuf ».

Le mot « la lune », avec tout ce qu'il évoque, désigne ce qui sépare cette image de soulier de femme d'un soulier réel. L'image du chapeau noir dénonce tout ce qui sépare la neige réelle, que je vois, touche, avec toutes les représentations qui peuvent s'y associer, du stéréotype qui s'évoque habituellement à mon esprit lorsque je prononce le mot « neige ».

Si j'ai rêvé chapeau, alors que j'ai pensé neige, c'est naturellement parce que je ne voulais pas savoir que je pensais neige ; le chapeau représente donc tout ce que, dans mon expérience de la neige, je m'efforce d'exclure lorsque je prononce son nom.

Je vois un orage, je puis faire une image d'orage que je reconnaîtrai, donc sous laquelle je pourrai mettre le mot « orage », mais dès que cette reconnaissance et ce titrage auront eu lieu, je m'apercevrai de toute la distance qui sépare ce que désigne pour moi le mot « orage » et cette image. Elle ne peut être en effet qu'un emblème choisi parmi d'autres possibles énumérables en quelque litanie, pour permettre une bonne discrimination, tel celui d'un saint dans le retable d'une église italienne. Mais il existe également une immense distance entre mon expérience de l'orage et ce que j'en retiens lorsque je prononce son nom, découpage auquel m'obligent toutes sortes de nécessités grammaticales et morales, l'image, si partielle qu'elle soit, débordant toujours par certain côté ce stéréotype.

Si l'orage me hante en un songe où je ne veux pas le reconnaître, il ne pourra évidemment emprunter pour m'apparaître les emblèmes qu'a choisis mon vocabulaire diurne, mais justement ceux que celui-ci n'a pas retenus. Ainsi, pour Magritte, le verre est l'emblème oublié de l'orage, celui par lequel il se vengera la nuit, peut-être merveilleusement, de ce que nous disons de lui.

Naturellement, parmi les aspects qui séparent le verre réel de son image sur le tableau, il y a tout ce qui, dans ce verre, lui permet de constituer l'emblème oublié de l'orage. La légende désigne bien ce qui manque à cette peinture pour « être » un verre.

Nous pouvons disposer les quatre termes ainsi : le désert, l'image ou rêve du marteau, le mot « désert », le marteau.

Certes Magritte n'a jamais prétendu que l'image du marteau soit le seul emblème oublié du désert, mais il est important de remarquer que le mot «désert» ne peut séparer convenablement le marteau de son image que dans la mesure où à l'approche de celle-ci un rêve commence à s'élever. Autrement nous éliminerions tout simplement le titre ou faux-titre comme corps étranger.

Les six compartiments de ce retable moderne se disposent de telle sorte qu'ils nous figurent une fenêtre. Que de fenêtres chez Magritte, et que de tableaux où elles mêlent le jour à la nuit! Celle-ci aussi associe à la pensée diurne des mots critiquant les peintures habituelles, la pensée nocturne des emblèmes critiquant les paroles habituelles, nous fait voir les étoiles en plein jour.

24 *rébus*

Les proverbes de Bruegel nous invitent à prononcer la phrase ou la tournure qui leur a donné naissance, le sens des mots s'y détache du lieu commun où il s'était endormi, donnant ainsi naissance à une sorte de théâtre où le langage courant se reconstitue, se rajeunit.

Mais si tout jaillit du parler, la sonorité de celui-ci n'intervient nullement, si bien que l'on peut déchiffrer les proverbes, même si on ne connaît pas le flamand, pourvu qu'ils aient des équivalents dans des langues que l'on possède. Les mots ont toutes sortes d'aventures, mais ne perdent jamais leur unité.

Par contre, si je veux ralentir le déchiffrement, pour quelque raison que ce soit, jeu, religion, publicité, je puis remplacer tel nom par son équivalent phonétique, soit en prenant un homonyme, mot pour mot, soit en décomposant la sonorité du mot long en plusieurs homonymes partiels accolés ; ici la lecture ne sera plus possible qu'à l'intérieur d'une seule langue.

Une enseigne d'auberge représentant un lion en or, pouvait se lire en français : « au lit on dort ».

On sait le rôle essentiel que jouent les homophonies dans la poésie, rimes chez les classiques, calembours chez les plus modernes. Chaque mot est hanté par ceux qui lui ressemblent. Si nous faisons de l'astronomie, nous n'avons pas seulement besoin de chasser du mot « lion » (constellation céleste) les sens d'animal rugissant, d'homme brave, de personnage principal d'une société, de jeune élégant, et tous les autres qui se trouvent au même article du dictionnaire, que ce soit chez Littré ou Larousse, il y a aussi la ville de Lyon qui lorgne dans l'ombre. Quand le jeune Michel Leiris entend «à Billancourt», il comprend «habillé en court».

Chez les alchimistes: cabale phonétique.

On connaît de nombreux tableaux-rébus anciens, et il en existe sans doute beaucoup qui n'ont pas encore été identifiés comme tels (ne serait-ce qu'à cause de la gêne considérable que tout changement de prononciation apporte à leur déchiffrage), car si, sous sa forme la plus connue aujourd'hui, celle du «jeu de société», du divertissement journalistique, qui s'est développée surtout dans les périodiques du siècle dernier, comme les mots croisés et bien d'autres amusements linguistiques, il respecte en général la linéarité du texte qui le soutient, chaque objet évoquant un mot ou une syllabe, un chat et un pot pour chapeau, venant à sa place dans la ligne, de gauche à droite selon le moment où il doit être prononcé, il arrive que l'artiste réussisse à tout mêler en une seule scène.

Je me souviens de cet exemple qui provient de quelque «Monde Illustré» d'il y a cent ans. C'est un fleuve; sur la proue d'une barque une femme assise somptueusement vêtue, entourée de sacs d'or, de coffres entrouverts débordant de joyaux; sa tête est remplacée par la lettre «S». A la poupe, debout, un personnage masculin à couronne comtale, fait office de passeur ; sur sa cape sont brodées les lettres « ENTEMENT ».

Lisez : « contentement passe richesse ».

Comme les emblèmes se mettent à vivre d'une vie propre lorsque le compartimentage du retable s'abolit pour laisser place à la « sainte Conversation », de même les différents objets du rébus, si associés qu'ils aient pu être à telle sonorité, nouent entre eux et avec les mots qu'ils appellent des rapports nouveaux, inépuisables, dès qu'ils s'échappent de leurs lignes.

L'auteur de rébus, à partir d'un certain niveau, explore les coulisses de notre langage, de notre conscience, exactement comme Raymond Roussel.

25 *corps glorieux*

Un des aspects les plus intéressants de l'art du rébus est le fait que les lettres et parfois les mots, lorsqu'on renonce à les traduire, ou même les fragments de mots, comme dans l'exemple que je viens de citer, y sont traités exactement comme les objets qui les accompagnent, ce qui fait éclater dans ceux-ci leur caractère de figure, de représentation, oblige à commencer à leur égard une interprétation, une lecture. Inversement, lorsque les lignes sont respectées, chaque objet est emporté dans le mouvement de la phrase, même si celle-ci n'est pas encore identifiée.

Dans un des numéros de «la Révolution surréaliste», on peut voir, entourée d'un cadre formé de portraits, type photographie d'identité, de membres du groupe les yeux fermés comme dans un profond sommeil, la reproduction d'une composition de Magritte, malheureusement non titrée, sur laquelle on peut lire la phrase: «je ne vois pas la femme nue cachée dans la forêt», dans laquelle tous les mots sont en écriture appliquée à l'exception de «femme» et «nue» remplacés par une image de femme nue.

Nouvelle clef des songes; en effet, ce que je vois c'est justement la femme nue, non cette forêt qui devrait me la cacher. L'inscription me fait recouvrir l'image d'une forêt de rêve, celle sans doute où sont en train d'errer dans leur sommeil tous les surréalistes alentour, mais cette fois c'est tout le tableau qui est inscription, toute l'inscription qui est image, instable comme les six ou sept cubes de l'illusion d'optique.

Si le mot remplacé par une image avait été «forêt», il eût été normal de n'y point distinguer la femme cachée; mais le fait que sa nudité ait rendu transparente, invisible, la forêt qui devait la recouvrir, au point de l'empêcher de remplacer son nom par une apparence dans le mouvement général qui va de la phrase au rébus, la fait ruisseler d'une merveilleuse clarté qui immerge les troncs, les branches de cette selve obscure, les consumant presque dans l'intelligence de ce qu'ils sont. De cette nuit qui cachait, nous nous éveillons dans un jour qui ne cache même plus la nuit, l'empire des lumières.

26 *l'art de la conversation*

« La Reconnaissance infinie » : par l'embrasure d'une fenêtre antique, une étroite vallée au-dessus de laquelle plane une sphère surmontée d'un petit personnage qui regarde au loin. L'expression courante qui veut dire seulement une certaine gratitude est rajeunie par l'appel à un autre sens du mot « reconnaissance » : action d'explorer une contrée, et la restitution au mot « infinie » de toute son étendue.

« La Voix des airs » : cette fois ce sont quatre grelots de taille différente, donc de hauteur sonore, ensemble dans un ciel gris. Nous entendons bien sûr sous le titre l'expression courante « la voie des airs ». Le mot « air » retrouve son double sens : « l'espace au-dessus de nos têtes » (selon Littré), avec l'élément qui l'emplit, et «suite de notes qui composent un chant».

Dans ces deux cas, le titre nous donne l'origine de l'image, comme les légendes des douze médaillons d'Anvers; mais plus souvent il explicite la relation qui existe entre l'expression qui sous-tend l'image et l'image même.

«L'Art de la conversation» de 1950 a évidemment son origine dans le vers de Baudelaire:

Magritte: L'art de la conversation - 1950.

« Je suis belle, ô mortels, comme un rêve de pierre... »

Nous y voyons en effet, dans une plaine immense, deux petits personnages considérer un monument cyclopéen, une sorte de Stonehenge, à l'intérieur duquel le mot « rêve » est inscrit en pierres énormes. Par un certain nombre de décrochements, les lettres viennent à s'isoler plus ou moins pour donner naissance à d'autres mots : « Eve », « trêve », « rêver », tout cela soutenant les plus lourdes assises.

Il s'agit bien ici d'une conversation entre Baudelaire et Magritte.

27 *Johannes Van Eyck fuit hic*

Revenons à cette étiquette qui inscrit le titre sur le cadre du tableau, comme à l'intérieur de cette toile de Magritte intitulée « Les Charmes du paysage », plus généralement sur le mur à côté dans les musées actuels ; nous savons qu'elle comporte toujours une autre mention tout aussi importante : le nom du peintre (ou son anonymat localisé). Si c'est bien le nom d'un individu, nous le retrouvons, dans l'immense majorité des cas, pour les derniers siècles, sur l'œuvre elle-même, sous forme de signature.

Autrefois (au Moyen Age ou à la Renaissance) les peintres ne signaient leur ouvrage que lorsqu'ils en étaient suffisamment fiers pour pouvoir lui accorder une valeur de manifeste ou d'enseigne pour leur atelier. Mais l'évolution de la situation du peintre à l'intérieur de l'économie occidentale, ne travaillant plus sur la commande de quelque église ou prince, mais se mettant à produire des objets pour les proposer ensuite à l'achat par l'intermédiaire de marchands, objets pour lesquels il faudra une marque de fabrique, une garantie d'authenticité, fera que la signature deviendra une pratique de plus en plus courante et de plus en plus importante. Chez de nombreux artistes occidentaux, tout le travail sur l'écriture, toute la calligraphie y est concentrée.

La signature-enseigne, c'est-à-dire celle qui n'est point destinée à faciliter la vente de l'objet sur laquelle elle est apposée, mais qui doit promouvoir un atelier et attirer chez lui les commandes pour les grands travaux, vaut avant tout comme exemple d'un savoir-faire, parmi tous les autres que propose l'œuvre échantillon ou catalogue (c'est ainsi que nous pouvons peindre visages, fleurs, supplices, paysages et inscriptions), elle doit donc être bien dessinée, très élaborée.

Prenons le fameux texte dans le « Mariage Arnolfini » au-dessus du miroir à l'intérieur duquel on aperçoit sans doute l'artiste mais sans que l'on puisse préciser lequel il est parmi les figures minuscules entre les dos des deux époux : « Johannes Van Eyck fuit hic » (Jean Van Eyck a été là – et non, comme on avait tendance à lire autrefois, selon la formule des signatures postérieures, mais au mépris du détail des lettres, « fecit hoc » : a fait cela – quant à la thèse périodiquement ressortie selon laquelle l'œuvre représenterait le mariage du peintre lui-même, elle ne mérite malheureusement même pas l'examen).

Van Eyck : Double portrait dit d'Arnolfini et de son épouse, détail - 1434.

Jean Van Eyck a assisté au moment même du mariage, à la prononciation par les époux des paroles sacramentelles. L'œuvre est le résultat de cette présence. Il ne s'agit nullement d'une séance de pose nécessaire à l'artisan peintre faiseur de portraits en dehors de la cérémonie proprement dite à laquelle un tel artisan n'aurait pu être invité. Ce que commémore l'œuvre, c'est le fait justement qu'il ait été invité, un témoin peut-être, c'est la pro-

Van Eyck: Double portrait dit d'Arnolfini et de son épouse - 1434.

motion qu'a représentée pour lui un tel événement; elle a été exécutée en remerciement.

Mais aussi quelle enseigne que ce royal cadeau! Capable de capter dans le miroir piège de mes couleurs vos cérémonies les plus intimes, on considère que je mérite d'y assister; l'excellence de ma peinture est telle qu'elle me met pratiquement au même rang que vous. Un autre peintre peut-être aurait pu dessiner ces visages, composer tous ces objets, mais quel autre peintre aurait été là?

L'extrême élaboration de cette gothique montre bien qu'il ne s'agit nullement d'une marque de fabrique, ni même d'une simple enseigne; au-delà de la commémoration d'un acte essentiel (le mariage, l'invitation, la présence), la signature est elle-même acte essentiel: par son moyen Jean Van Eyck veut assurer, publier le titre de bourgeoisie en quelque sorte qu'il a reçu ce jour-là.

28   *le don du sigle*

C'est au cours des quinzième et seizième siècles que s'est développée la signature comme sceau qu'on imprime sur toute production quittant l'atelier; elle peut avoir la forme d'un monogramme ou même d'un rébus comme l'œillet du Garofalo.

Dürer: Adoration de la Sainte-Trinité - 1511 *(à droite, détail)*.

    «L'Adoration de la Sainte-Trinité» au Musée
de Vienne nous permet de bien voir comment chez
Dürer le monogramme de signature est une sorte
d'emblème. Dans cette œuvre, en effet, tous les
saints et saintes dans le ciel sont représentés avec
les leurs permettant de les identifier : David avec sa
barbe, Moïse avec les tables de la loi, Agnès avec

son agneau, Catherine avec la roue de son supplice; plus bas, sous un premier horizon, ceux qui attendent en foule le Jugement dernier pour pénétrer au Paradis ont chacun les signes de leur dignité: papes, empereurs, cardinaux, moines, religieuses, dames, chevaliers, paysans; et devant un deuxième horizon tout en bas, dans la solitude d'un très beau paysage, nous apercevons Dürer lui-même, beaucoup plus petit certes, tenant un bloc encadré sur lequel est gravée l'inscription:

ALBERTUS DÜRER NORICUS FACIEBAT ANNO A VIRGINIS PARTU 1511,

Laquelle signature est elle-même signée du fameux monogramme: le «D» à l'intérieur d'un «A».

Solitude du signataire et visionnaire, solitude du peintre comme scripteur et décrypteur, tout le tableau comme interprétation de l'Ecriture.

29   *la grammaire des signatures*

Bientôt apparaissent les signatures cursives, le peintre marque son tableau comme une lettre.

Certains signent modestement, on ne lit leur nom que si on s'approche, d'autres ont des signatures énormes qui envahissent leurs toiles. Quelquefois on ne voit plus qu'elle ; cette griffe a tout chassé.

Une bonne partie de la peinture gestuelle, de l'« action painting », peut être interprétée comme un développement de la signature ; l'artiste en effet prétend ne nous intéresser que par son graphisme, c'est-à-dire la façon dont il manie son pinceau ou sa plume, ce qui l'identifie véritablement dans sa griffe, fait qu'elle est indubitablement sienne.

C'est là le véritable sujet de son œuvre ; or c'est bien dans la signature que ce graphisme est le plus travaillé, et en même temps le plus direct, mais elle est devenue si grande que le tableau ne suffit plus à la contenir ; nous n'en voyons plus que des bribes : une immense boucle, un paraphe saisissant dans son lasso un mur entier, et il faudra la redoubler en bas à droite.

La signature des peintres exige une graphologie, mais beaucoup plus vaste que celle que l'on entend ordinairement par ce terme, limitée aux formes cursives ; ici toutes les formes de caractères nous intéressent, et un chapitre spécial devrait être réservé à ce que l'on peut appeler l'expressivité monogrammatique.

Science non seulement de leur graphisme, mais de leur libellé, de leur langue (le rôle que joue le latin). Nous pourrions mettre en évidence toute une échelle de longueurs : le nom « Dürer », le prénom et le nom « Albertus Dürer », le nom, le prénom et un adjectif « Albertus Dürer noricus », un verbe, deux verbes, les lieux, les dates simples « 1511 » ou développées « anno a Virginis partus 1511 », etc. Des signatures fort courtes en centimètres peuvent être interminables en mots.

30 *le lieu du sigle*

A une étude de ce genre, il faut en joindre une autre concernant la place que la signature occupe dans le tableau. Elle change l'œuvre, en effet, non seulement parce qu'elle nous assure qu'elle est de tel peintre, tout en précisant notre connaissance de celui-ci, mais parce qu'elle nous oblige à regarder à un endroit particulier. Toutes les propriétés plastiques du titre vont s'y retrouver.

Comme l'écriture européenne, dans une page, va de gauche à droite et de haut en bas, la signature que l'on appose une fois qu'on a rédigé un texte, est normalement en bas à droite ; c'est ici que nous la cherchons d'habitude dans un tableau, ce qui montre à quel point, lorsqu'il est bien individuellement signé, nous l'identifions à une sorte de missive.

Si elle est écrite en toutes lettres, non seulement

elle fixera notre attention sur ce coin, mais elle assignera celui-ci d'une flèche dirigée vers l'extérieur du cadre que l'ensemble de la composition devra contrecarrer. Pour tel arrangement imposé par le sujet, le peintre sera obligé de déplacer la signature, de la mettre dans un autre coin, par exemple ; elle attirera alors beaucoup plus l'attention sur elle, et aussi sur cet endroit qu'elle a quitté.

Pour qu'il y ait dans l'œuvre un lieu normal de la signature, il faut qu'elle comporte un coin en bas à droite, donc qu'elle soit rectangulaire au moins dans sa partie inférieure. Dans un médaillon elliptique ou circulaire, le peintre est bien obligé de trouver un lieu où signer, un lieu à renforcer, sensibiliser par sa signature, surtout si elle crève l'illusion réaliste, mais ce choix ne se fera pas aux dépens d'un lieu habituel. Nous avons donc au moins trois degrés dans ce placement :

1) le coin en bas à droite, lequel peut être animé, d'un vecteur plus ou moins fort, nul s'il s'agit d'un monogramme, faible pour deux initiales, plus marqué s'il est écrit en toutes lettres, encore plus s'il est commenté, s'il y a phrase, beaucoup plus si l'écriture est de forme manuscrite, d'autant plus que la cursivité de celle-ci sera plus accentuée (signatures rageuses, fougueuses...), de deux vecteurs s'il y a plusieurs lignes,

2) lieu choisi dans un tableau sans coin en bas
à droite,

3) autre lieu choisi dans un tableau comportant pourtant un coin en bas à droite, lequel rece-
vra de ce déplacement un certain éclairage; nous
nous demanderons en effet ce qui empêchait la
signature de s'y placer.

Mondrian: Composition en jaune, rouge, bleu et noir - 1921.

31 *Broadway boogie-woogie*

Plus les formes utilisées dans le tableau sont différentes de celles utilisées dans l'écriture, plus la signature prendra de poids. Elle posera donc un problème particulier dans deux cas extrêmes : le trompe-l'œil d'une part, la peinture abstraite géométrique de l'autre.

Très vite Mondrian abandonne l'écriture cursive qui dérangeait par trop la stabilité de ses toiles, et il adopte bientôt ses seules initiales accompagnées d'une date réduite. Mais le placement de ce « PM30 » ou « PM37 » va présenter des difficultés énormes. Très souvent, il sera nécessaire de laisser intact le coin en bas à droite ; c'est donc au point le plus sensible de la composition qu'il décidera de glisser son sigle aussi discrètement qu'il le pourra, en s'arrangeant pour souligner, par exemple, le croisement particulièrement important d'une horizontale et d'une verticale.

Dans certaines toiles, en particulier dans les dernières, il scinde en deux l'ensemble de sa signature pour serrer sa composition à l'intérieur d'un étau. Dans « Broadway boogie-woogie », les lettres et chiffres rouges sur fond de carrés bleus pris dans l'horizontale inférieure, laquelle est reliée à la base par un important carré, rouge lui aussi, prennent une valeur considérable. Dans le carré de datation, à droite, mais beaucoup moins proche du coin que ne l'est à gauche le carré d'initiales, il combine au mouvement horizontal, en superposant les deux dates:

Mondrian: Broadway boogie-woogie - 1942-1943.

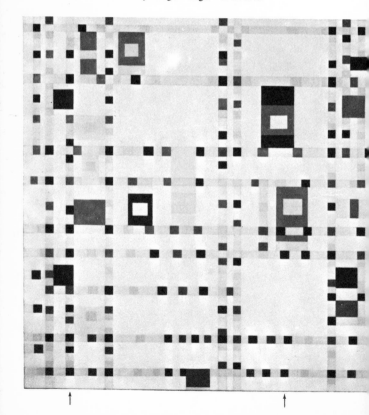

«42
43»,

une verticale puissamment soulignée par le redoublement du «4» et animé par la progression du «2» au «3». L'amenuisement jusqu'au zéro forme une petite flèche pointée vers le haut, vers la plus grande surface blanche, toile dans la toile, toile vierge dans la toile terminée. Dautre part. comme nous savons bien que ces deux chiffres veulent dire que l'ouvrage a été commencé en 1942, achevé en 1943, l'ordre normal de succession des nombres institue une autre flèche, historique, pointée vers l'extérieur, vers ce moment où Mondrian lui-même est sorti de son travail.

Toute la problématique de son œuvre se retrouve en miniature dans sa façon de la signer.

32   *bonds*

Généralement nous lisons les mots d'un seul bloc, n'épelant ou ne détaillant en syllabes que ceux dont nous n'avons pas l'habitude, aussi le vecteur d'une inscription à plusieurs mots, surtout si ceux-ci forment une phrase, sera toujours beaucoup plus fort que celui d'une inscription à mot unique. Cela est particulièrement net pour les signatures cursives, noms propres dans lesquels les lettres individuelles sont souvent sacrifiées au mouvement de l'ensemble, mouvement certes qui va nous donner une impression de rapidité d'autant plus grande, mais qui va s'isoler souvent du reste du tableau et comporter des retours en arrière extrêmement accentués comme dans le paraphe. Ce à quoi nous rend le plus sensible le sigle fougueux, lorsqu'il est formé d'un seul mot, c'est au mouvement perpendiculaire, approche et recul, de la main qui est venue apposer cette empreinte. Il devient presque un monogramme, un sceau. Par contre, dès qu'il y a deux mots, la vitesse du trait, évaluée par le nombre de suppressions de lettres ou d'éléments de lettres individuelles, sera entièrement canalisée dans l'horizontale de droite à gauche pour sauter du premier au second ; le vecteur de l'ensemble sera extrêmement fort.

En séparant au contraire les lettres de sa signature, le peintre peut nous obliger à la parcourir, à en sentir la direction de gauche à droite, même si elle ne comporte qu'un seul mot. Les fragments dispersés de cette unité bien connue vont s'appeler les uns les autres.

Dans un très grand tableau de Rauschenberg, formé de plusieurs panneaux, « Ace », la signature est à sa place, en capitales tracées au pochoir bien isolées les unes des autres, mais la première

manque, nous lisons «AUSCHENBERG».
Comme nous reconnaissons le style du peintre, ou
que nous voyons son nom écrit en totalité sur l'étiquette ou dans le catalogue, nous ne pouvons nous
empêcher d'aller à la recherche de ce «R» man-
quant que nous découvrons à l'autre extrémité. La
signature fait un bond de gauche à droite.

On voit comme il est facile de mettre en évidence, dans les signatures, non seulement des
vitesses, mais des modulations de vitesse : accéléra-
tions, ralentissements, pauses... On pourra retrouver tout cela dans d'autres sortes d'inscriptions.

33 *pulsions, visées*

De même qu'il y a une position normale de la
signature et que tout déplacement la souligne, de
même il y a une direction normale, l'horizontale de
l'écriture occidentale. Tout écart nous donnera
l'impression qu'on a imprimé une force pour
tordre, pour faire pivoter cette ligne, ce qui se tra-
duira d'ailleurs souvent dans les mouvements des
visages des spectateurs. Une signature inclinée à 45
degrés ne dotera pas seulement le tableau d'une
flèche pointant vers le haut à droite (ou le bas,
selon les cas), mais d'une rotation depuis l'horizontale normale jusqu'à cette direction aberrante, et si

elle décrit une courbe, d'une pulsion depuis la droite la plus proche.

La signature de Van Gogh, déjà remarquable du fait qu'elle est un prénom, prend un pouvoir particulier à être inscrite sur la panse du vase contenant les tiges des tournesols dans le tableau de la National Gallery de Londres ; elle apporte par sa torsion tout son modelé.

Dans le paysage de 1926 dit « la Sauterelle » de la collection Goulandris à Lausanne, la signature de Miró traverse toute la toile, nous obligeant à un trajet non seulement dans le plan, mais en profondeur, en particulier grâce à la déformation du grand « M ».

Miró : Paysage (dit La Sauterelle) - 1926.

A partir de 1915, Kandinsky adopte définitivement son monogramme: un «K» entre les deux branches d'un «V», simplification du «W» initial de son prénom. Les axes de ces deux lettres sont perpendiculaires l'un à l'autre, et la direction de la ligne sur laquelle se poserait le «K» est reprise par les deux derniers chiffres du millésime sous la branche inférieure du «V».

Ce monogramme est presque toujours situé dans l'angle inférieur gauche du tableau, ce qui le souligne. La rotation de la ligne du «V» lui fait en quelque sorte chercher ce qui est en bas, et le relèvement redoublé du «K» et de la date anime l'ensemble d'un mouvement d'ascension.

Visant le foyer par l'envol de ses guillemets ou paupières, ce monogramme est un sextant.

34 *la signature entre deux mondes*

Dans «La Liberté guidant le peuple», le relèvement de la signature de Delacroix, rouge sang, est d'autant plus sensible qu'elle apparaît juste derrière l'horizontale d'une barricade; la date «1830» est bien peinte comme un soulèvement.

Mais si elle peut apparaître «derrière», c'est qu'elle s'inscrit, telle celle de Van Gogh dans les «Tournesols», quoique d'une façon tout aussi peu

Ingres: La vicomtesse de Senonnes - 1816.

«réaliste», sur un objet qui doit se situer dans l'espace représenté.

Des peintres recherchant un illusionnisme plus poussé vont s'efforcer d'empêcher la rupture trop brutale de l'espace piège qu'ils nous imposent en soumettant complètement à celui-ci leur signature. C'est sur un objet qu'elle apparaîtra, gravée sur un marbre ou tracée sur un papier. Dans le «Portrait de la vicomtesse de Senonnes» au Musée de Nantes, Ingres glisse un de ses cartons dans le cadre d'un miroir qui réfléchit le dos de son beau modèle. Nous ne pouvons lire que les trois premières lettres de son nom «Ing»; le peintre a l'orgueil de penser que cela nous suffit bien.

Discrète en apparence, sournoise en réalité, comme elle est bien placée, quelle puissance elle va prendre peu à peu, nous obligeant à la deviner, recouvrant d'autres noms, et redoublée par son reflet!

35   *adresses*

Corrélative à la signature, la dédicace; avec elle, le tableau devient véritable missive.

Après avoir fait poser Berthe Morisot avec différents accessoires, révélant quatre de ses aspects: violette, soulier rose, éventail, bouquet de violettes, Manet réunit à deux de ces emblèmes, dans une nature morte bien proche, on le voit, des dévotions anciennes, une lettre dont nous ne voyons que l'adresse : « Mlle Berthe », et la signature en bas à droite de la page et du tableau.

Dans le panneau d'un retable médiéval, le dédicataire est le saint même représenté. Son nom désigne en fait non pas tant celui à qui ressemble cette figure que celui à qui elle est offerte, toute ressemblance littérale, tout « portrait » étant généralement inaccessible, perdue dans les siècles anciens, et n'important guère pourvu qu'un emblème précise suffisamment l'attribution. Voici l'image dédiée à saint Paul et par l'intermédiaire de laquelle d'autres encore pourront lui adresser leurs prières. Ce qu'il nous faut y reconnaître ce sont ses vertus.

Du donateur par contre, en général portraituré, nommé, il fallait bien à l'origine pouvoir vérifier la ressemblance. C'était lui qui offrait l'image au saint, le peintre étant l'artisan par lequel le don était possible. Les relations premières entre le nom du donateur, le nom du peintre et le nom du saint sur un retable peuvent être enserrées dans la phrase suivante :

« Tel donateur offre une image fabriquée par tel peintre à tel saint », mais à mesure que le peintre et donc sa signature prennent de l'importance (et le donateur est bien obligé, s'il respecte vraiment le saint à qui il veut faire une offrande, de choisir l'artisan qu'il respecte le plus), les rapports se renversent et deviennent:

«Tel peintre a permis à tel donateur d'offrir une image de ce genre à tel saint.»

Le donateur alors, plutôt que l'origine du don, est un premier dédicataire; ce n'est que lorsque le peintre lui a fait hommage de l'image que lui-même peut en faire hommage à un personnage sacré.

Dans «l'Adoration de la Sainte-Trinité», nous voyons Albert Dürer se portraiturer comme donateur offrant tout ce qu'il peut avoir signé, et par conséquent toutes les œuvres qui ont des donataires intermédiaires, ceux-ci représentés de façon générique dans la zone médiane de l'œuvre, à la population du paradis en haut.

Et même les saints apparaissent à ce protestant comme des donateurs intermédiaires, c'est lui, Albert Dürer, qui adresse par leur entremise à la divinité toutes les figures qui leur sont dédiées.

Titre, signature, dédicace, trois termes qui enserrent le tableau, mais ces trois types fondamentaux d'inscription sont bien loin de rendre compte de tous les mots que nous y lisons. Que de paroles y attendent notre prononciation !

Celles qui nous sont directement attribuées, les réponses préparées pour nous au spectacle que l'on nous montre ; celles qui sont rattachées spécialement à tel personnage, que nous lui voyons dire, que nous ne ferons nôtres qu'en nous identifiant à lui.

Les paroles en suspens, légendes au sens propre, se rapprochent beaucoup des titres (les proverbes liés aux tableaux de Bruegel sont évidemment les deux à la fois) et posent des problèmes plastiques du même genre, à ceci près que leur caractère sonore est souvent souligné par leur disposition sur des banderoles dont l'origine vient évidemment des phylactères destinés à nous permettre de suivre le déroulement d'un discours depuis les lèvres d'un personnage.

Dans un des deux tableaux intitulés « Postrimerias » (derniers instants), qui ornent la chapelle mortuaire de Miguel Manara dans la cathédrale de Séville, superbe développement du thème des

Valdès Léal: Postrimerias - 1665-1670 *(détail p. 107).*

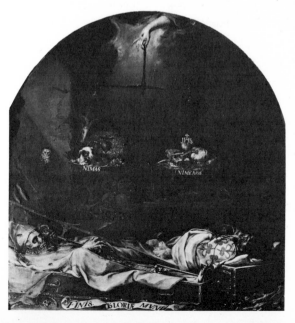

« Vanité », Valdès Léal a inscrit sur une banderole rampante le « finis gloriae mundi », et sur les deux plateaux de la balance fatale « nimas » (ni plus), sous les emblèmes des sept péchés capitaux, « nimenos » (ni moins) sous ceux de la dévotion. Au milieu de chacun de ces groupes symboliques, un cœur, celui de gauche sommé d'ailes sataniques, l'autre du monogramme « IHS ». Quatre modes différents d'écriture :

1) la sentence qui se déroule et se détache du tableau, vient à nos lèvres,

2) les deux termes en balance, non point gravés ou dessinés de façon réaliste sur les plateaux, mais adhérents à leurs images – ce sont les paroles qu'ils émettent – entre lesquels notre regard oscille perpétuellement, car aucun mouvement de phrase ne nous oblige à lire l'un avant l'autre ; dès que l'un des deux nous a atteints, nous revenons à son contrepoids

(arrêtons-nous un instant sur l'animation verticale produite par ces deux négations : s'il y avait trop, le plateau de gauche s'inclinerait vers le bas dans la direction du cadavre mitré décomposé, s'il y avait trop peu le plateau de droite, dans le même mouvement, remonterait vers le haut, abandonnant le chevalier à l'instant de sa comparution, de son passage ; les deux négations rétablissent de justesse l'équilibre; les péchés sont rachetés, les œuvres pies viennent désigner l'agonisant; il suffira que cette rotation se poursuive un instant pour que l'aiguille vienne désigner la droite du ciel, la droite de l'ange exterminateur, la droite du père, donc le salut;

nous restons dans le tremblement de cette attente, l'absolue horizontalité du fléau est traversée d'une vertigineuse vibration, impossible au commanditaire, ou à son peintre, d'affirmer son élection, mais le mouvement a déjà commencé dans ce sens, il proclame ainsi son espoir),

3) les emblèmes, écriture parfaitement précise, chacun des animaux de gauche pouvant être traduit par le nom d'un des péchés capitaux, groupe compact, n'importe lequel pouvant entraîner les autres, sous la dominante du cœur maudit, cœur volant vers le bas, aucun sol ne pouvant arrêter sa chute oblique;

4) l'emblème-écriture, le monogramme; aux emblèmes animaux s'opposent les emblèmes culturels ou cultuels; dans le christianisme et particulièrement dans celui de ce temps tourmenté par l'interrogation de la Réforme, c'est de l'Ecriture que vient le salut

(dans ce monogramme proprement « romain », ce n'est pas seulement la valeur de l'Ecriture qui est affirmée, c'est aussi celle de la tradition orale à l'intérieur de la hiérarchie ecclésiastique; impossible de ne pas évoquer ici cet autre monogramme, si remarquablement en suspens, que considère, stupéfait de son éclat, de son pouvoir, de la liberté qu'il a prise juste après qu'il ait osé le tracer et le prononcer, le docteur Faust de Rembrandt, affirmation de la valeur de l'écriture, de toute écriture, en dehors de toute codification de quelque église que ce soit, les débordant toutes et même parfois les retournant).

Dans le panneau qui lui répond – mais chacun peut répondre à l'autre, ce qui transforme cette chapelle de Séville en un perpétuel théâtre funèbre où le temps est pris au piège, abîme de réflexion – au-dessus des emblèmes de la puissance et de la gloire terrestres, comportant en particulier de nombreux livres, la mort squelette éteint de sa main un flambeau. Autour de cette flamme disparue se dispose en demi-cercle la constatation: «in ictu oculi» (en un clin d'œil – littéralement: en un «coup» d'œil).

Croisement des sentences: ce qui arrive en un clin d'œil, c'est la transformation de toute cette panoplie glorieuse en les dépouilles et débris du charnier d'en face. Inversement c'est en un clin d'œil que se produit l'immobilisation du fléau fatal

IHS

NIMENOS.

dont le redressement ne peut s'opérer que tant que dure cette lueur où se déploie et nous abuse la gloire du monde.

Si le «finis gloriae mundi», sous les images du pourrissement s'étalait, se traînait, rampait (remarquons au passage l'extraordinaire expressivité dont est capable le phylactère, admirable moyen d'ordonner les torsions de la ligne d'écriture dans l'espace, permettant en particulier de masquer certaines lettres ou certains mots, tout en nous précisant qu'ils sont masqués), la disposition circulaire de «in ictu oculi» le fait irradier de l'extinction de la flamme comme d'un soleil noir. Ici la ligne droite a brusquement crevé sous l'explosion.

La devise, le commentaire, se lit dans un temps différent de celui dans lequel se trouvent les personnages représentés. Le «in ictu oculi» nous donne de cette distance une expression paroxystique en expulsant de ses quelques mots un instant contemporain de tout instant du spectateur. Tout ce splendide attirail étalant sa durée, tiare, couronne impériale, bibliothèque, tout cela est déjà aboli par le geste de la mort. C'est une image qui perpétuellement sombre immédiatement dans la nuit.

37 *col tempo*

Au contraire les paroles attribuées aux personnages appartiennent à leur propre temps qu'il va falloir inscrire dans l'image : elles devront « sortir » de leurs bouches. On connaît bien les solutions adoptées par les auteurs de bandes dessinées pour qui c'est un problème fondamental, mais regardons aussi les peintres d'autrefois.

Le phylactère, en s'éloignant progressivement d'une figure, nous permet de suivre son discours, et même, grâce à ses méandres, sa diction. Si ce parleur s'adresse à quelqu'un d'autre représenté lui aussi, il est nécessaire que le mouvement de la lecture m'amène vers cet auditeur.

Son inscription se déroulant de gauche à droite, le phylactère est normalement à la droite du personnage parlant. Voici pourtant la « Vieille » attribuée à Giorgione à l'Académie de Venise ; c'est à sa gauche que se trouve sa fameuse déclaration : « col tempo ». Le mouvement de la lecture nous fait revenir vers son image, ce qui ne serait pas possible si les mots se trouvaient à sa droite, s'éloignant d'elle, et ce mouvement de retour est confirmé par le geste de la main : « avec le temps voici ce qu'elle est devenue ».

Mais ce n'est pas seulement une sentence proposée à notre énonciation, la bouche entrouverte de la vieille nous montre bien que c'est elle qui parle. Le phylactère se retourne derrière sa

Giorgione: Portrait de vieille.

main, si je reconstitue sa direction originelle, je vois bien que les mots venaient de ses lèvres ; ils étaient alors de l'autre côté, je n'aurais pu les lire. C'est une parole qu'elle a déjà prononcée, qui s'est détachée d'elle-même, qui devient de plus en plus vraie.

Elle est d'autant plus lisible qu'il y a plus long-temps, en son propre temps, qu'elle l'a dite.

38 *la salutation angélique*

Van Eyck est l'auteur essentiel pour notre sujet (pour quel chapitre de la théorie de la peinture occidentale ne l'est-il pas ?). Considérons le retable de Gand (le véritable titre de tout retable, dia-gramme d'influences célestes, est toujours le nom de son lieu originaire, celui pour lequel il a été fait), quelle prodigieuse construction de mots !

Laissons-le fermé. Voici la mystérieuse signa-ture, qui donne non seulement le nom de l'auteur principal « Jean », mais celui d'un auteur antérieur « Hubert », dont beaucoup de spécialistes mettent aujourd'hui en doute l'historicité (si la découverte d'un document pouvait nous assurer que c'est à Jean que l'ouvrage a été commandé dès le début, et que donc Hubert n'est qu'un mythe, cela ne ferait que multiplier les questions ; en fait cette mise en doute vient surtout de la difficulté qu'ont de nombreux historiens d'art, travaillant sur des modèles romantiques d'interprétation : la peinture comme expression d'un individu, de son tempérament, à admettre la transition d'un auteur à un autre, pourtant si souvent attestée : le Titien terminant le « Festin des dieux » de Giovanni Bellini, Palma le Jeune la « Pietà » du Titien en signalant le fait lui aussi dans une remarquable signature ; cette interrogation a du moins l'avantage de souligner la valeur mythique du nom d'Hubert Van Eyck, et celle de tout auteur premier ; achever l'œuvre d'un maître, ce qui est impensable dans l'état actuel de la peinture — imaginons qu'un artiste même illustre manifeste l'intention d'ajouter quelques touches aux derniers Cézanne — était attribuer à celui-ci une capacité d'influence du même type que celle des saints, en faire un « intercesseur » au sens où Baudelaire employait ce mot),

mais aussi celui du donateur portraituré avec sa femme, et, par l'emploi du rouge pour certaines lettres au milieu des noires, la date d'achèvement, c'est-à-dire d'installation.

Voici les noms des prophètes et des sibylles sur le cadre, sous leurs figures, leurs paroles se déployant sur phylactères. Voici les noms objectivés, gravés sur les socles des statues imitées en

peinture des deux saint Jean, le Baptiste et l'Evan-
géliste, chacun avec son emblème. Voici au centre
le dialogue de l'Annonciation.

La scène tient quatre panneaux; les deux personnages, l'ange et la Vierge, sont aux extrémités;
au centre sont des éléments du décor de la
chambre qu'une disposition scénique extrêmement élaborée empêche de relier aux autres du
premier coup. En effet, dans les deux panneaux
externes, pour les lier optiquement d'une façon
très forte, Van Eyck donne à la chambre un double
fond: les arcades ouvrent sur une autre pièce qui
ouvre elle-même par une fenêtre sur la ville; au
contraire, dans le panneau du centre gauche, l'arcade ouvre directement sur la rue, ce qui produit
l'impression que la chambre entoure la ville, renversant le rapport vécu; le panneau du centre droit
ne comporte pas d'arcade mais une niche abritant
un lavabo, éclairée par un petit vitrail à peine
translucide qui ne permet pas de voir au travers.
En outre, une serviette étendue sur une tringle en
direction du spectateur fait comme un écran entre
les deux personnages; elle produit d'ailleurs une
fausse perspective, avec un point de fuite illusoire
qui se situe dans le visage de la Vierge.

Il s'agissait donc de relier ces deux acteurs
d'abord si lointains, de faire bien une seule scène

avec ces quatre panneaux de profondeur si différente. L'ange à gauche prononce, en lettre d'or qui
s'inscrivent librement dans l'air en une ligne parfaitement horizontale :

AVE GRATIA PLENA DOMINUS TECUM

(Je te salue pleine de grâce, le seigneur soit avec
toi).

Le bois du cadre est entre « gratia » et « plena ».
La relation grammaticale très forte entre ces deux
mots appartenant d'ailleurs à une formule extrê-

Van Eyck : Polyptyque de l'Agneau mystique : l'Annonciation - 1426-1432.

mement connue les réunit indubitablement en un seul lieu. Van Eyck a employé pour les mots suivants des abréviations: «dns» pour «dominus», «tecu» pour «tecum», ce qui donne l'impression que la sonorité se prolonge au-delà de l'arrêt de la ligne, traverse donc le second cadre, la séparation entre les deux volets, traverse aussi cette membrane, ce voile qu'est le linge. Tout ce mouvement va très clairement de la bouche de l'ange à l'oreille de la Vierge.

Celle-ci répond: «Ecce ancilla domini», mais comme elle est à droite, puisque l'ange lui a parlé,

Van Eyck renverse complètement l'écriture, la fait revenir vers le centre, et en accélère le mouvement, en prolonge la ligne par l'abréviation du mot « domini » en « dni ». Comme nous mettons un certain temps à reconnaître ces lettres la tête en bas, nous lisons nécessairement l'annonce de l'ange avant l'acceptation de la Vierge.

Les paroles de la salutation viennent du Ciel et sont adressées à la Terre, nous devons donc les lire de notre sol en regardant vers le haut ; par contre les mots de la Vierge sont la réponse de la Terre au Ciel, c'est donc d'en haut qu'il les faudrait lire, en regardant vers le bas. Toute la théologie de Van Eyck commande sa façon de disposer les inscriptions.

39   *l'orgue de l'agneau*

Ouvrons maintenant le retable. Il n'est pas question de l'examnier ici en détail, même du seul point de vue des mots dans la peinture ; qu'il suffise de faire remarquer l'extraordinaire variété de leurs jeux ;

1) identification de groupes de personnages sous les quatre panneaux externes de l'adoration,

2) emblèmes pour leur identification individuelle dans tout cet ensemble,

3) les noms d'Adam et Eve au-dessus de leur figure,

4) au-dessous commentaires sur leurs rôles,

5) citations scripturaires sous les anges chanteurs et musiciens,

6) autour des trois visages des personnages centraux en haut: le Père, la Vierge et le Précurseur, des proclamations irradiantes en trois zones concentriques, peintes comme gravées dans l'or,

7) une autre sous les pieds de Dieu au plat de la marche de son trône,

8) celles qui sont brodées en perles sur la bordure de son manteau,

9) celles qui se répètent, fond de texte, tissées dans la tenture de son dossier,

10) celles émaillées sur le sol des anges,

11) l'affiche de la croix,

12) la dédicace de l'autel,

13) et naturellement tous ces livres fermés, entrouverts ou ouverts, dans lesquels le texte choisi est plus ou moins reconnaissable

(comme leurs représentations sont trop petites pour que les lettres individuelles aient pu être différenciées, sauf quelques initiales enluminées, cette reconnaissance n'est possible que par la disposition de la page; grandes recherches à faire encore dans ce domaine; la seule identification faite jusqu'à présent par la critique moderne est celle du passage que désigne le Baptiste, début d'un chapitre d'Isaïe qui le préfigure, mais bien d'autres allusions devaient être immédiatement perceptibles, au moins pour quelques-uns).

40   *les inscriptions du paysage*

Nous touchons ici un aspect de notre problème que nous n'avons fait jusqu'à présent qu'effleurer à quelques détours de notre sinueux cheminement. Nous avons vu des mots s'«objectiver» dans une image, être peints comme s'ils étaient tracés, gravés, tissés, brodés sur ou dans les choses. On peut partir de l'autre pôle et se demander ce qui arrive lorsque le peintre cherche à représenter un objet sur lequel sont inscrits des mots.

Le paysage occidental s'est peu à peu chargé de texte ; ainsi nous pouvons lire « fabrique de cuirs forts » sur « la Rue des francs bourgeois » peinte par Johann-Barthold Jongkind le 19 avril 1868, aujourd'hui au musée municipal de La Haye, ou bien « A St-Nicolas » sur « l'Inondation à Port-Marly » de Sisley au Jeu de Paume.

Les inscriptions introduisent des flèches dans nos paysages comme dans les tableaux, mais leur pouvoir va être considérablement renforcé par leur transposition à l'intérieur d'un cadre. Le peintre aura donc souvent besoin de les neutraliser. En outre, les lettres si reconnaissables vont risquer de faire des trous dans le tissu d'une peinture qui procède par touches allusives. Il faudra donc les atténuer, corriger leur excessive lisibilité. Ainsi, dans « l'Inondation à Port-Marly », Sisley nous a bien transmis l'inscription « A St-Nicolas », mais il en a brouillé plusieurs autres. Sur la ligne inférieure je peux bien reconnaître les mots « Gagne », « Lefranc » et « Vin » mais il y en a un autre indéchiffrable dont je puis pourtant identifier quelques lettres. Sur la pancarte noire au-dessus, je vois qu'il y a quelque chose d'écrit, mais je n'y puis rien distinguer.

Pancartes, enseignes, affiches, étiquettes, plaques, bannières, de toutes tailles et tous matériaux, tableaux d'annonces, panneaux de signalisation, horaires, menus, avis, timbres, graffiti, marques, journaux lumineux, projections, vapeurs d'avions, tissus, tatouages...

Et notre paysage intime, notre décor, que d'objets peuvent y servir de support à l'écriture! Hogarth manifestait à cet égard une extraordinaire imagination.

Le problème des livres est évidemment central. Le rôle joué par la notion d'Ecriture, dans le christianisme en a fait un des emblèmes les plus fréquents. Tous les évangélistes sont représentés avec leur livre. Selon l'échelle de détail qu'observait le peintre, il pouvait ou non en dessiner les lettres, c'est-à-dire nous le rendre lisible.

Malgré l'extraordinaire finesse d'approche de Van Eyck, il ne peut nous permettre de reconnaître les lettres individuelles dans les livres qu'il nous représente, il s'efforce pourtant de nous les peindre

Holbein: Deux ambassadeurs français, détail - 1533.

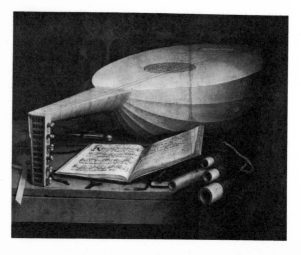

comme individuelles. Dans des tableaux très détaillés d'une autre échelle, il deviendra possible de lire véritablement les pages, comme dans le «Portrait des ambassadeurs de France à la cour d'Angleterre» de Holbein.

Mais si le peintre développe un style cursif, il lui deviendra extrêmement difficile d'intégrer dans sa composition des pages de lettres séparées les unes des autres, et pour l'écriture manuscrite de se plier à la minutie de ses indications, il imitera donc seulement l'effet de l'écriture; le Greco, par exemple, couvrira les livres de ses Evangélistes par des lignes agitées à propos desquelles toute une graphologie seconde devrait se développer. C'est le mouvement de l'écriture inspirée qu'il cherche à rendre, indépendamment des mots particuliers et même de la langue.

Parfois le texte sera complètement effacé, fondu dans une couleur unie ou à peu près. Georges de la Tour a représenté saint Jérôme derrière sa table avec un livre ouvert devant lui; sur chaque page, l'écriture que nous devrions lire à l'envers, est figurée par un rectangle gris. Il n'y a pas là seulement question de style, mais difficulté de choix. C'est la Bible en effet que son traducteur a devant les yeux, et à quelle page arrêter ce discours sacré?

La principale caractéristique pour nous de l'objet livre est qu'on y peut lire quelque chose, la lisibilité ou non de sa figuration si fréquente dans la peinture, nous permettra d'apprécier les modifications de l'échelle du détail qui se produisent autour de certains objets particulièrement importants ou fascinants. Parfois, des titres d'ouvrages que l'on devrait pouvoir lire, brilleront en quelque sorte par leur absence, dans d'autres tableaux le titre, pour pouvoir être lu, obligera à une modulation stylistique.

Voici trois natures mortes de Van Gogh : les deux premières : « les Livres jaunes (romans parisiens) » (collection privée suisse) et « Nature morte aux livres » (Fondation Vincent Gogh) sont à peu

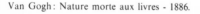

Van Gogh : Nature morte aux livres - 1886.

près contemporaines : époque de Paris, vers 1886 ;
la troisième, celle du musée Kröller-Müller date
d'Arles, janvier 1889.

La « Nature morte aux livres » est composée
elle aussi presque entièrement de livres jaunes,
donc de romans parisiens. Je me souviens de l'air
scandalisé avec lequel un clergyman interpellait,
dans un chemin de fer britannique, une de mes
amies : « Madame, vous ne savez donc pas que
Dieu vous voit tandis que vous lisez ce livre
jaune ! » Cette signification maudite, indécente, est
bien la raison pour laquelle Aubrey Beardsley
avait appelé sa revue « The Yellow Book ».

Dans le tableau de la collection privée, on voit
que les livres ont des titres ; on ne peut pas savoir
lesquels, mais ils sont présents ; ceux qui sont
ouverts ont des lignes sur leurs pages. Au contraire,

Van Gogh : Les livres jaunes (romans parisiens) - 1887.

123

dans celui de la Fondation, couvertures et pages sont complètement lavées par l'œil du peintre. Il n'en a pas moins rendu le feuilleté des épaisseurs, détaillé de minces brochures. Non, ce n'est pas une question d'échelle, les mots ont provoqué ici une sorte de répulsion ; on peut dire que l'artiste a peint ces livres pour se délivrer de leur texte.

Dans la « Nature morte » d'Arles, qui comporte divers objets familiers, Van Gogh a détaillé les mots essentiels pour lui sur la couverture du livre : « annuaire de la SANTÉ par F.V. RASPAIL », c'est comme s'il en avait approché une loupe. La signature est donnée ici par l'intermédiaire de l'adresse sur l'enveloppe au premier plan, remarquablement détaillée elle aussi, mais dont le texte renversé est soumis comme une réponse à celui du livre.

Van Gogh : Nature morte : planche à dessiner avec des oignons - 1889 *(détail ci-contre)*.

Même effet de grossissement dans le portrait de Zola par Manet. L'ouvrage que l'écrivain tient ouvert au premier plan est étudié dans ses seules valeurs plastiques. C'est un « beau livre », avec ses lettrines, ses effets de moirures dans le gris du texte ; peut-être est-il possible de l'identifier, mais il n'est évidemment point là pour être reconnu individuellement, il donne le niveau de la bibliothèque.

Par contre, derrière la plume, émergeant du fouillis des autres brochures, celle consacrée à Manet par Zola nous permettra de lire parfaitement ces deux noms : celui du sujet-dédicataire et celui du signataire-donateur. Le tableau tout entier est la réponse à cet objet.

Manet : Portrait de Zola, détail - 1868.

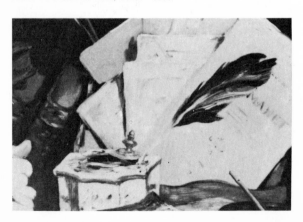

Les lettres (missives) poseront les mêmes problèmes, permettront les mêmes effets. Graphologie ici de l'écriture attribuée à autrui, en particulier de sa signature.

La dédicace en lettres antiques, la signature, la date selon l'ère révolutionnaire, au premier plan sur la caisse de bois qui servait de guéridon à Marat dans sa baignoire, la transforment en stèle, tout le tableau en monument.

David : Marat assassiné - 1793
(détail p. 129)

Du 13. juillet, 1793.

Marie anne Charlotte
Corday au citoyen
Marat.

il Suffit que je Sois
bien Malheureuse
pour avoir Droit
a votre bienveillance

L'assassiné tient à la main la lettre de Charlotte Corday :

« du 13 juillet 1793 — Marie-Anne-Charlotte Corday au Citoyen Marat — il suffit que je sois bien malheureuse pour avoir droit à votre bienveillance ».

Opposition entre les écritures, les datations.

Donnant l'impression de sortir de la toile, puisque la planche stèle semble se confrondre avec son plan, brandi à notre appréciation, le billet du conventionnel en écriture bien plus proche de son échelle, accompagné d'un assignat.

Entre les deux adresses qui se conjoignent dans le nom de Marat, inscrit si différemment. tout un dialogue se déploie. A la lettre traîtresse de Charlotte Corday

(l'énorme grossissement ici qui permet une lecture parfaite est comme un cri d'indignation : il n'est pas possible qu'une si basse ruse reste ignorée)

Marat répond par la générosité ; c'est l'assassinat qui le remercie, le tableau tire la conclusion.

Marat assassiné est saisi à la fois dans l'acte de la lecture et dans celui de l'écriture, actes, fonctions qu'il est bien plus facile de traduire picturalement que l'élocution ou l'audition. Le lecteur peint, par exemple les bergers qui déchiffrent sur un tombeau l'«et in Arcadia ego» du Poussin, sont nos représentants à l'intérieur de l'œuvre, tout autant que ceux qui regarderaient une scène ou un paysage. Même, dans ces doigts qui suivent les lettres une à une, qui les retracent, nous sommes mis en relation avec le traceur bien mieux que par un spectateur lointain, ou un amateur de peinture, examinât-il quelque détail à la loupe comme dans «l'Enseigne de Gersaint». Le scripteur peint, par exemple tel évangéliste, ou le secrétaire du roi Théonat dans la «Légende de sainte Ursule» de Carpaccio, figure le peintre, mais autrement bien sûr que le peintre peint dans son atelier, lequel regarde son modèle qu'il va figurer sur sa toile; c'est alors le peintre qui regarde sa toile, comme un premier spectateur, pour y apposer l'inscription, en particulier titre et signature.

Les relations entre sujet (réel ou non), peintre et spectateur réels se réfléchissent dans les thèmes du modèle, du peintre et du spectateur, quelquefois dans le même tableau, se réfléchissent à un second degré dans les thèmes du texte, de l'écrivain et du lecteur. Dans l'écrivain le peintre se peint comme déjà spectateur, dans le lecteur il peint le spectateur comme déjà peintre.

David veut que le spectateur s'identifie à Marat lecteur : n'aurions-nous pas été trompés comme lui par un tel mensonge ? il veut que nous l'identifions à Marat scripteur, que nous le considérions comme aussi généreux que lui, sous la menace d'un même coup de couteau. Il le continue.

Quant à Charlotte Corday, la peinture l'abolit. Elle était là pourtant entre la lecture et l'achèvement de l'écriture, mais le fait que l'on ait pu héroïciser sa victime par un tel monument pictural la fait disparaître à jamais. Plus de visage, le meurtre n'est signé que par quelques lignes mensongères.

David nous fait déceler ce mensonge, cas particulier d'un mensonge omniprésent, il veut que nous sentions dans l'ombre le couteau prêt à nous frapper, et s'offrant à lui pour nous protéger, il veut lever pour nous cette menace : le couteau caché sous les lignes est là démasqué, emprisonné dans la peinture, par la vertu de celle-ci nul couteau désormais ne devrait plus pouvoir se tacher d'un tel sang.

Tout ce qu'il y avait d'amour de la vérité, de combat contre la misère, de libération véritable dans l'activité de Marat (le sang qu'il a fait couler lavé pour David dans son propre sang, dans cette baignoire purificatrice) doit se consolider par ce que commente cette œuvre. Jamais acte plus authentiquement révolutionnaire.

45 *l'imprimé*

Manuscrits en tas comme dans le « Portrait de Georg Gisze » par Holbein, ou la caricature des « Percepteurs » par Marinus van Reymerswaele à la National Gallery de Londres. Ici l'emblème du personnage ou de sa fonction n'est plus la lettre, mais leur amoncellement. De même, en opposition aux bibliothèques si bien rangées des « saint Jérôme » de Carpaccio ou d'Antonello de Messine, les livres en vrac chez Valdès Léal, Van Gogh ou Manet.

La quantité d'écriture qui entoure notre vie quotidienne a considérablement augmenté avec l'imprimerie. Si le livre a toujours été un élément essentiel de la « Nature morte », autrefois « Vanité », méditation sur la mort, ce qui y deviendra indispensable lorsqu'elle sera devenue promotion de la vie quotidienne intime en réaction contre l'inadéquation de plus en plus grande des fêtes publiques, c'est le journal. Pour la figure, il sera l'emblème essentiel de modernité (« le Chevalier X » de Derain).

Mais, dans l'imprimé, ce que nous lisons est détaché du scripteur originel par toutes sortes d'intermédiaires mécaniques, ce n'est plus une main qui a tracé ces lettres-là ; impossible donc pour la symbolique de l'écriture de se développer de la même façon, d'où la nécessité pour le peintre de trouver une façon en quelque sorte non manuelle de mettre des lettres sur ses tableaux : pochoirs ou collages.

L'énorme multiplication de la matière écrite, le fait que nous allons utiliser les journaux par exemple, non plus pour les lire mais comme emballages, va conduire à la traiter comme un

Cézanne : Portrait de Louis-Auguste Cézanne, père de l'artiste - 1866-1867.

Derain : Portrait d'un inconnu lisant un journal, dit aussi Chevalier X - vers 1914.

matériau, et les textes qui la recouvrent non comme des figures mais comme des textures.

Déjà dans la peinture ancienne, lorsque pour des raisons d'échelle, de style ou de conception, on ne pouvait conserver aux textes leur lisibilité, il fallait bien rendre le fait qu'il s'agissait de textes, la «matière» du manuscrit ou de l'imprimé, comme on rendait le velours, la soie, la fourrure ou le métal. Mais, à partir du moment où le Cubisme introduit la technique du collage, rendue néces-

Picasso : Bouteille, verre, violon - 1913.

saire par l'évolution des thèmes, nous verrons des peintres utiliser comme textures des textes qui conservent toute leur lisibilité, même en faire des fonds comme Franz Kline qui esquissait sur les pages des annuaires du téléphone les paraphes qu'il magnifiait ensuite immensément sur toiles blanches.

Dans le collage les mots ne sont plus quelque chose que l'on trace, mais que l'on trouve. La variété des textures d'écrits, à la fois antérieurement à leur lecture (textures optiques indépendantes à la rigueur du fait que l'on sache ou non lire une langue — mais que de dégrés entre ces deux termes!), et pendant ou après celle-ci (textures de sens, qui exigent évidemment une certaine connaissance de la langue) est utilisée par l'artiste comme un immense clavier de timbres ou de couleurs.

Schwitters nous a donné d'admirables exemples de ces compositions de textes trouvés, nouvelles versions de la «Nature morte» dans lesquelles c'est toute une période qui est résumée par ses déchets: billets de chemin de fer ou de théâtre, en-têtes, enveloppes, fragments de correspondance, de journaux ou de prospectus, menus objets. Le rattachement de chacun de ces textes à son utilisation première, périmée, à sa signification immédiate, est contrôlé par la façon dont il est découpé, déchiré, renversé, ou non, maculé, barbouillé, raturé. La lisibilité est ainsi graduée, certains fragments pouvant être employés presque uniquement pour leur texture optique, leur matière, encore qu'il y ait ici un effet très puissant de neutralisation, d'engloutissement d'un sens; aux perspectives produites par l'arrangement des formes, la reconnaissance progressive de ce qui est écrit superpose une perspective d'intellection, incomparablement plus forte pour ceux qui connaissent l'allemand que pour ceux qui l'ignorent, pour ceux qui sont habitués à l'écriture gothique que pour ceux qu'elle gêne.

Chez un Kolar aujourd'hui, ce sont les propriétés formelles déjà présentes dans le tissu d'imprimé qui nous entoure, textes et reproduction, typographie ou fac-similés, propriétés qui dépendent en partie des significations que nous y mettons, que nous les considérions dans leur masse ou dans leur détail, qui sont mises à jour par des manipulations méthodiques, toutes les figures et tous les sens qui peuvent naître de cet alluvionnement culturel qui de temps en temps nous submerge en se dégradant.

Malevitch:
Femme
et affiche -
1914.

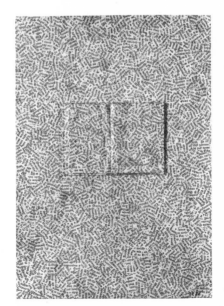

Kolar: Livre -
collage - 1966.

Tout ceci rajeunit notre regard sur l'alphabet. Si les mots attirent si fort notre attention dans les peintures, ce n'est pas seulement parce que nous les reconnaissons, et que nous avons l'impression que l'on s'adresse à nous, c'est aussi parce que les lettres, pour pouvoir transcrire la parole, doivent constituer un système d'éléments formels remarquablement différenciés, de même que les sonorités d'une langue doivent être articulées les unes par rapport aux autres avant de pouvoir se conjuguer en un discours. L'alphabet constitue un ensemble de figures dont les combinaisons formeront toujours des formes fortes. Les langues imposent à ces combinaisons antérieurement à toute intelligence de mots particuliers, un certain nombre de règles : faculté ou non de redoubler certaines lettres, d'isoler telle ou telle (impossibilité du «i» solitaire en français, de l'«y» solitaire en anglais, etc.), fréquences relatives, longueurs entre deux blancs, qui même s'il n'y avait nulle différence dans les éléments (présence ou non d'accents, suppression de telle lettre), donneraient pourtant à chacune une allure particulière.

Nous avons défini comme texture optique ces propriétés plastiques de l'imprimé ou du manuscrit qui ne changent point que l'on connaisse ou non la langue, mais il faut distinguer ici un second niveau très important : les propriétés qui demeureront que l'on connaisse ou non l'écriture et même le genre d'écriture. Pour celui qui ne sait rien de l'écriture arabe, même s'il a entendu dire qu'on la lit de droite à gauche, des lignes en arabe n'obligeront pas ses yeux à un mouvement de droite à gauche, n'introduiront aucune flèche dans ce sens ; il en mettra souvent une à l'envers.

Il y a un groupe de propriétés qui restent communes à tous les alphabets que nous reconnaissons comme occidentaux, c'est-à-dire qui ont quelques signes communs avec les nôtres : alphabet grec, alphabet cyrillique ; les caractères étrangers pourront être souvent utilisés indépendamment de leur valeur de lecture pour donner une couleur particulière : le fait que le cyrillique comporte un certain nombre de signes qui sont les symétriques des nôtres, permettra de donner une couleur russe à une inscription en renversant quelques lettres, même si le résultat produit des formes qui n'existent pas dans cet alphabet.

Dans tous ces cas, si je ne sais pas lire. je comprends pourtant comment fonctionne la lecture. Devant un alphabet totalement étranger, mon regard est dérouté ; je reconnais qu'il s'agit bien d'une inscription à cause du système formé par les signes, mais elle constitue comme une zone de perdition, et j'aurai d'autant plus ce sentiment de perdition que je serai mieux averti de la pluralité des écritures (si je suis totalement ignorant à cet égard, j'introduirai des mouvements à contresens qui, le plus souvent, détruiront l'œuvre).

Par ses vertus de désorientation, l'écriture que l'on ne comprend pas a un grand pouvoir fascinateur, mais elle constituera pour le peintre une région fort dangereuse ; non seulement le spectateur trop naïf y introduira des vecteurs faux, mais celui qui lui saura lire ne manquera pas d'y établir les véritables que l'artiste n'aura su contrôler.

Souvent d'ailleurs, le peintre qui ignore une écriture est incapable de la reproduire dans sa lisibilité. Il ne peut retenir que des propriétés plastiques d'une telle généralité qu'il manquera, malgré son attention, des détails indispensables à l'accrochage de la signification. Seules les écritures ayant conservé un caractère nettement figuratif seront à l'abri de ces trahisons : ainsi les hiéroglyphes pour les illustrateurs de la « Description de l'Egypte ».

Il est passionnant de regarder comment les peintres occidentaux, incapables de lire des écritures orientales, se sont efforcés de les faire reconnaître, quels sont les aspects qu'ils ont pu en retenir et qui nous suffisent d'ailleurs à les localiser.

Ainsi Delacroix, lorsqu'il décore d'une inscription arabe l'appartement de ses «Femmes d'Alger», Van Gogh lorsqu'il reproduit les idéogrammes autour de son «Arbre d'après Hiroshige», ignorant tous deux les règles internes à ces écritures, ce qu'il convient de respecter pour que le sens passe, ce que l'on peut par contre déformer, transformer, omettre, (et l'on sait quelle prodigieuse variété de figures elles sont capables d'ordonner), en analysant incorrectement les tracés. Ils réussissent pourtant parfaitement à faire pour nous du «japonais» ou de l'«arabe» que nous identifions sans aucun doute.

47 *écritures inventées*

Pour répondre au défi porté par l'écriture étrangère, les peintres vont parfois en inventer franchement une, cette fois étrangère pour tous, ce qui permettra d'introduire dans le tableau une zone de désorientation bien contrôlée.

Ils vont peindre le fait de ne pas savoir lire, donc le pouvoir magique de l'écriture pour l'analphabète.

Van Gogh : Arbre d'après Hiroshige, détail - 1888.

Ainsi dans « le Printemps » de 1914, Chirico déroule un manuscrit couvert de signes qui font penser à ceux des « Clavicules de Salomon ». Le fait que l'on y retrouve des vestiges de lettres occidentales, et la disposition par lignes nous oblige à leur attribuer une lecture de droite à gauche.

Kandinsky rivalise souvent avec l'écriture, en particulier lorsqu'il dispose des signes formant une famille à l'intérieur d'une région délimitée par un rectangle plus ou moins déformé. Dans « Succes-

Kandinsky : Succession - 1935.

sion» de 1935, il nous montre 22 groupes principaux, accompagnés d'accents ou de ponctuations,
sur quatre lignes horizontales bien tracées. La dernière se termine à droite par une série de points, le
premier plus intense que les autres, ce qui accentue
leur caractère de suspension. Sous la dernière
grande horizontale, trois autres de plus en plus
petites qui prolongent le mouvement vers le bas.
Nous avons donc bien le sentiment d'une page
d'écriture, mais comme aucun de ces 22 signes ne
se répète, et qu'ils sont remarquablement animés,
ils s'apparentent surtout à des hiéroglyphes ou aux
figures successives d'un pictogramme.

Dans «la Mariée mise à nu par ses célibataires
même», l'inscription d'en haut, dont nous savons
par les accompagnements comment elle devait se
placer et comment devait être réalisée l'étrangeté
de son alphabet, désoriente d'autant plus par sa
blancheur.

48 *moment de lisibilité*

Peindre non seulement le fait de ne pas savoir
lire l'écriture autre, mais de ne plus même arriver
à lire la nôtre, son épaississement: variations de
Steinberg sur tous les «papiers» qui nous définis-
sent et nous obscurcissent en s'obscurcissant.

Difficultés de l'écriture, son épaisseur dès l'origine, tout l'espace laborieux de son invention, de son apprentissage, de sa pratique, tous ses entours : bâtons, brouillons, ratures.

La lisibilité se montre alors comme la crête d'une vague, un moment clair, parfois trompeusement clair, précédé de toute une histoire d'efforts, et prêt d'être englouti sous une mer d'effacements ou de surcharges.

49 *chant des voyelles*

Lisibilité du mot, qui disparaît en général quand une lettre est là toute seule, même si elle forme un mot dans la langue ; elle perd, surtout dans sa forme d'imprimerie, jusqu'à son vecteur. Mais cela n'est point vrai si elle figure un mot, par exemple l'initiale des signatures. Le mouvement qui passe du « P » au « M » de Mondrian s'inscrit dans le plan du tableau, celui qui va du « V » au « K » de Kandinsky, ou surtout du « A » au « D » de Dürer, la deuxième lettre étant intérieure à la première et plus petite, s'enfonce dans la profondeur. Tous deux nous invitent à traverser l'œuvre.

Les consonnes isolées, par exemple la lettre « R » dans le paysage de Klee, ne nous permettent même pas de prononciation, seulement de les identifier par le nom qu'elles possèdent dans l'alphabet. Nous les prenons comme forme plutôt que comme sonorité. Par contre les voyelles chantent vers nous, que leur émission soit figurée, comme chez Van Eyck, par les formes que prennent les bouches de ses anges, ou bien par l'image que leur attribue notre éciture, comme dans l'aquarelle de Paul Klee «l'Etoffe vocale de la cantatrice Rosa Silber» où les deux consonnes s'opposent comme initiales du nom à leur retentissement.

Klee: La villa R - 1919.

Tout un développement pourrait naître ici sur le bruit et le son dans la peinture, la parole n'en étant qu'un cas particulier, et qui étudierait entre autres choses le rôle des instruments de musique et des partitions.

50 *motet impérial*

Parler, Chanter.

Sur sa page souvent largement aussi grande qu'un tableau, admirablement réglée de portées, le compositeur non seulement sait disposer les mots, mais les dédoubler, les multiplier: apparitions, échos, annonces, toutes modulations, peut dire le peintre, qu'il nous donne par l'intermédiaire d'un dessin souvent commenté de longues légendes.

Perspectives et polyphonie de textes.

David, David, fallait-il que le rêve romain dominât ton génie pour que tu aies pu, après ton monument à Marat, en élever tant à un tel séducteur! Mais aussi de quelle musique d'inscriptions et d'emblèmes le Corse avait su faire retentir le paysage de ta capitale! Lors de «la Remise des Aigles», l'incomparable battement des mots sur la soie que seul tu as su nous transmettre, t'a donc ébloui au point de te faire oublier le couteau même plus masqué!

David: La remise des Aigles
au Champ-de-Mars, détail - 1810

Funèbre glas dans ce cliquetis. Nostalgie. Que toute cette pourpre serve au moins à maintenir une résonance ! Puisque ces mots s'appellent à ce point, pathétiquement, ils appellent aussi d'autres mots à l'extérieur de ce tableau, à l'extérieur de cette cérémonie qu'il fixe et de son temps ; à travers la pompe hypnotisante de l'empire illusoire, percera toujours une référence à l'autre ville, à l'«urbs», à sa république fondamentale et à ce rêve de république ici d'où l'on s'est réveillé si tôt mais qui, sous toutes ces protestations d'allégeance, sous toutes ces superbes mascarades, couvera, mûrira, s'étendra, rongera, s'attisera, s'aiguisera ; le tonnerre apparent veille sur le tonnerre secret qui s'accroît en dormant.

51   *ut pictura poesis*

On disait autrefois que les poètes peignaient avec des mots ; les peintres le peuvent aussi.

Jasper Johns intitule «Jubilé» une toile presque toute grise, mais on y lit quantité de noms de couleurs, mots jaillissants : «red», «blue», «yellow» (le fait qu'ils sont peints au pochoir les fait se détacher vers nous, tout en fusant vers le haut), si bien qu'elle devient de plus en plus colorée à mesure que je la regarde et la lis. Je me mets d'ail-

leurs à percevoir toutes les subtiles nuances de couleurs qui distinguent les différents gris.

Lorsque je dessine une toile future ou présente,
croquis-projet ou croquis-copie, je puis préciser
par des notes la couleur de telle partie. Lorsqu'on
la reproduit, on revient la voir avec une épreuve
sur laquelle on indique «vert trop sombre», «le
rouge doit être plus orangé», et si j'ai moi-même
une reproduction par trop infidèle d'une œuvre
que je veux étudier, j'écris à côté ou dessus quelles
sont les erreurs les plus graves. A partir de l'image
que je vois, les mots me permettront d'en imaginer
une autre meilleure.

Œuvres dans lesquelles certaines parties
auront des couleurs directes, d'autres les obtien-
dront pas l'intermédiaire d'un mot, tel carré bleu,
tel autre blanc sur lequel est inscrit le mot «bleu»,
ou des formes, comme chez Magritte: nature
morte où je vois une bouteille à côté de laquelle est
inscrit le mot «verre».

Partition picturale: le compositeur écrit avec
des notes et des mots ce que doit faire le pianiste
(moi-même si j'en suis capable) pour nous faire
entendre telle œuvre, de même avec des schémas
et des mots, le peintre ce que je dois faire (ou
quelque interprète) pour nous faire voir telle autre.

Regardons pour finir ce dessin-poème de Juan Gris :

« As de pique
            ce verre
                la cendre de la pipe
        Bougie éteinte plantée sur mes amours
                            Matin pluvieux
                        et cet ennui qui pèse
        Le jeu de cartes où rêve l'avenir »

Gris : Nature morte avec poème.

Dessinés l'as de pique, le verre, la pipe avec sa cendre, le jeu de cartes. Chacun de ces éléments a deux lieux dans la composition celui de son nom, celui de sa figure. Le matin pluvieux, l'ennui qui pèse baignent tout. La bougie éteinte n'est pas représentée; c'est une interprétation de la pipe. Le mot apparaît comme un de ces aspects des objets que le dessin cubiste combine. Deux compositions se superposent, dialoguent. La nature morte où ils s'inscrivent rend simultanés les différents vers, oblige à considérer leur disposition dans l'espace; le poème introduit une succession entre les éléments de la nature morte; « avenir » vient planer vers nous.

J'ai décidé de ne pas aborder dans cet essai la question des images à l'intérieur des livres. à l'intérieur des livres notamment sur les mots dans la peinture, mais rêvez-y.

TABLE DES ILLUSTRATIONS

156

DÉJA PARUS DANS LA COLLECTION « CHAMPS »

ABELLIO Raymond
▲▲▲ Assomption de l'Europe.

ADOUT Jacques
▲▲▲ Les raisons de la folie.

ALQUIÉ Ferdinand
▲ Philosophie du surréalisme.

ARNAUD Antoine, NICOLE Pierre
▲▲▲ La logique ou l'art de penser.

AXLINE Dr. Virginia
▲▲ Dibs.

BASTIDE Roger
▲▲▲ Sociologie des maladies mentales.

BECCARIA Cesare
▲▲ Des délits et des peines. Préf. de Casamayor.

BINET Alfred
▲▲ Les idées modernes sur les enfants. Préf. de Jean Piaget.

BOIS Paul
▲▲▲ Paysans de l'Ouest.

BRAUDEL Fernand
▲▲ Écrits sur l'histoire.

BROUÉ Pierre
▲ La révolution espagnole (1931-1939).

BURGUIÈRE André
▲▲▲ Bretons de Plozévet. Préf. de Robert Gessain.

CARRÈRE D'ENCAUSSE Hélène
▲▲ Lénine, la révolution et le pouvoir.

CARRÈRE D'ENCAUSSE Hélène
▲▲ Staline, l'ordre par la terreur.

CHEVÈNEMENT Jean-Pierre
▲▲▲ Le Vieux, la crise, le neuf.

CLAVEL Maurice
▲▲▲ Qui est aliéné?

COHEN Jean
▲▲ Structure du langage poétique.

COLLECTIF
▲▲ Les États Généraux de la philosophie (16-17 juin 1979).

DAVY Marie-Madeleine
▲▲▲ Initiation à la symbolique romane.

DERRIDA Jacques
▲ Éperons. Les styles de Nietzsche.

DERRIDA Jacques
▲▲▲ La vérité en peinture.

DÉTIENNE Marcel et
VERNANT Jean-Pierre
▲▲ Les ruses de l'intelligence. La mètis des Grecs.

DODDS E. R.
▲▲▲ Les Grecs et l'irrationnel.

DUBY Georges
L'Économie rurale et la vie des campagnes dans l'Occident médiéval.
▲▲ Tome I. ▲▲ Tome II.

DUBY Georges
▲ Saint Bernard. L'art cistercien.

ÉLIADE Mircéa
▲ Forgerons et alchimistes.

ERIKSON E.
▲▲▲ Adolescence et crise.

ESCARPIT Robert
▲▲ Le Littéraire et le social.

FABRA Paul
▲▲▲ L'Anticapitalisme.

FERRO Marc
▲ La Révolution russe de 1917.

HEGEL W. F.
▲▲▲ Esthétique Tome III. L'Architecture; la Sculpture; la Peinture; la Musique.

FONTANIER Pierre
▲▲▲ Les Figures du discours.

GOUBERT Pierre
▲▲▲ 100 000 provinciaux au XVIIe siècle.

GREPH (Groupe de recherches sur l'enseignement philosophique)
▲▲ Qui a peur de la philosophie?

GUILLAUME Paul
▲▲ La Psychologie de la forme.

GURVITCH Georges
▲▲ Dialectique et sociologie.

HEGEL W. F.
▲▲▲ Esthétique Tome I. Introduction à l'esthétique.

HEGEL W. F.
▲▲▲ Esthétique Tome II. L'Art symbolique; l'Art classique; l'Art romantique.

HEGEL W. F.
▲▲▲ Esthétique Tome IV. La Poésie.

JANKÉLÉVITCH Vladimir
▲▲▲ La Mort.
▲▲ Le Pur et l'impur.
▲▲▲ L'ironie.

JANOV Arthur
▲▲▲ Le cri primal.

KRIEGEL Annie
▲▲▲ Aux origines du communisme français.

KROPOTKINE Pierre
Paroles d'un révolté.

LABORIT Henri
▲▲ L'homme et la ville.

LAPLANCHE Jean
▲▲ Vie et mort en psychanalyse.

LAPOUGE Gilles
▲▲ Utopie et civilisations.

LEPRINCE-RINGUET Louis
▲▲ Science et bonheur des hommes.

LE ROY LADURIE Emmanuel
▲▲ Les Paysans de Languedoc.

LOMBARD Maurice
▲▲▲ L'Islam dans sa première grandeur.

LORENZ Konrad
▲▲ L'Agression.

LUBICZ R. A. Schwaller de
▲▲ Le Miracle égyptien.

MANDEL Ernest
▲▲ La Crise 1974-1978.

MARIE Jean-Jacques
▲ Le Trotskysme.

MICHELET Jules
▲ Le Peuple.

MICHELS Robert
▲▲▲ Les Partis politiques.

MOSCOVICI Serge
▲▲▲ Essai sur l'histoire humaine de la nature.

MOULÉMAN MARLOPRÉ
▲▲▲ Que reste-t-il du désert?

NOEL Bernard
▲▲ Dictionnaire de la commune Tome I.
▲▲ Dictionnaire de la commune Tome II.

ORIEUX Jean
Voltaire
▲▲▲ Tome I. ▲▲▲ Tome II.

POINCARÉ Henri
▲▲▲ La Science et l'hypothèse.

POULET Georges
▲▲▲ Les Métamorphoses du cercle.

PORCHNEV Boris
▲▲▲ Les soulèvements populaires en France au XVIIe siècle.

RICARDO David
▲▲ Des Principes de l'économie politique et de l'impôt.

STAROBINSKI Jean
▲▲▲ 1789 — Les Emblèmes de la raison.

STOETZEL Jean
▲▲▲ La Psychologie sociale.

STOLERU Lionel
▲▲ Vaincre la pauvreté dans les pays riches.

VILAR Pierre
▲▲▲ Or et monnaie dans l'histoire.

ACHEVÉ D'IMPRIMER
LE 14 MARS 1980
SUR LES PRESSES D'HÉLIOGRAPHIA
LAUSANNE-GENÈVE

PRINTED IN SWITZERLAND